Dominic

William Steig

Dominic

Traduit de l'anglais (États-Unis)
par Henri Robillot
Illustrations de l'auteur

Neuf
l'école des loisirs
11, rue de Sèvres, Paris 6e

Édition précédente chez Gallimard «Folio junior», 1982
© 2003, l'école des loisirs, Paris pour la présente édition
© 1972, William Steig
Titre original : «Dominic» (Farrar, Strauss & Giroux, New York)
Loi n° 49.956 du 16 juillet 1949 sur les publications
destinées à la jeunesse : mars 2003
Dépôt légal : mars 2003
Imprimé en France par l'imprimerie Bussière Camedan Imprimeries
à Saint-Amand-Montrond
N° d'Édition : 4743 – N° d'Impression : 026029/1

Ce livre a éré écrit
à l'expresse requête
de Michael di Capua et
il lui est dédié
ainsi qu'à Maggie et Melinda.

1

Dominic était un diable à quatre, toujours en quête d'action.

Un jour où la bougeotte le démangeait particulièrement, il décida que la monotonie de la vie quotidienne ne suffisait pas à satisfaire son besoin d'aventure. Il fallait qu'il se mette en route.

Il possédait tout un assortiment de chapeaux qu'il aimait porter, non pas tant pour se tenir la tête au chaud ou s'abriter de la pluie ou du soleil, mais pour l'allure qu'ils lui conféraient selon leurs divers styles : élégant, solennel, martial. Il les emballa avec son précieux piccolo et quelques affaires dans un vaste foulard qu'il attacha au bout d'un bâton facile à porter sur l'épaule.

Trop impatient pour aller faire ses adieux à la ronde, il épingla à sa porte le mot suivant :

« *Chers amis,*

Un peu à l'improviste je pars pour l'inconnu.

Je n'ai donc pas le temps de vous dire adieu à chacun. Je vous embrasse tous et vous renifle affectueusement.

Je ne sais pas quand je reviendrai. Mais je reviendrai, soyez-en certains.

Dominic. »

Il ferma la porte à double tour, enterra la clef et quitta sa maison, résolu à partir au loin chercher fortune, c'est-à-dire à découvrir ce que lui réservait le vaste monde.

Il prit la grand-route en direction de l'est pour pouvoir accueillir le soleil dès son apparition et de même le crépuscule. Mais il n'allait pas en ligne droite. Loin de là. En fait, il ne cessait de s'écarter de la route, s'enquérant des origines du moindre bruit, de la moindre odeur, de la moindre apparition, qui l'intriguaient. Rien n'échappait à sa vigilante attention.

Le second jour de son voyage il parvint à une fourche du chemin et se demanda s'il fallait prendre celui qui filait à gauche ou celui qui tournait à droite. S'engager à la fois de part et d'autre l'aurait comblé. Comme c'était impossible, il lança une pièce en l'air – pile pour la gauche, face pour la droite. La pièce tomba côté face. «Le sort en est jeté», se dit Dominic et il s'engagea dans le chemin de droite.

Au bout de quelque temps, une odeur extraordinaire lui chatouilla les narines, une odeur qu'il n'avait jamais rencontrée. Aussi se hâtant dans sa direction comme il se hâtait vers toute nouveauté, il atteignit un nouvel embranchement. Là, appuyée sur une canne, se tenait une sorcière-alligator qui paraissait l'attendre.

Dominic n'avait jamais vu de sorcière alligator.

Bien qu'il s'intéressât à toutes les odeurs, il se demanda toutefois si celle-ci lui plaisait tellement, et il lui sembla qu'elle s'accompa-

gnait d'un nombre de dents excessif pour les besoins normaux d'une mâchoire. Cependant il l'accueillit avec sa vivacité habituelle :

— Salut ! Bonne journée à nous tous !

— Salut, dit la sorcière, sais-tu où tu vas ?

— Pas du tout, répondit Dominic en riant. Je vais où m'entraîne mon destin.

— Aimerais-tu connaître ton destin ? demanda la sorcière en ajustant les franges de son châle. Je vois le futur aussi clairement que le présent et plus clairement que je ne me souviens du passé. Pour vingt-cinq centimes je te révélerai ton avenir immédiat, ce qui t'attend durant les prochains jours. Pour un demi-dollar, je te décrirai, de bout en bout, ta prochaine année d'existence. Pour un dollar, tu connaîtras toute ton histoire, à compter d'aujourd'hui, et jusqu'à ta mort.

Dominic réfléchit un instant. Curieux de tout comme il l'était, en particulier de ce qui le concernait, il préférait s'instruire par lui-même.

— Certes, je m'intéresse à mon destin, dit-il, mais c'est à mon avis bien plus amusant de découvrir ce qui doit vous arriver au fur et à mesure. J'aime être pris au dépourvu.

— Eh bien! dit la sorcière, moi, je sais tout ce qui va t'arriver.

Puis elle fit observer que Dominic était étonnamment avisé pour un chien si jeune et s'offrit à lui fournir quelques renseignements.

— J'espère que tu ne m'en voudras pas si je te donne cette indication, reprit-elle: ce chemin-là qui part à droite ne va nulle part.

Tu n'y trouveras ni magie, ni aventure, ni surprise, rien à découvrir ou à admirer. Le paysage même est fastidieux… Très vite, tu ne penserais plus qu'à regarder ton nombril. Tu passerais ton temps à rêvasser, à remuer bêtement la queue, tu deviendrais distrait, paresseux, tu oublierais qui tu es, ce que tu veux, tu dormirais tout le temps, tu t'ennuierais à mourir. De plus, à la longue, tu déboucherais au fond d'un cul-de-sac et tu serais obligé de refaire à l'envers toute cette route assommante pour te retrouver ici même où nous sommes aujourd'hui, mais ce

ne serait plus aujourd'hui, ce serait après des
montagnes de temps perdu. Par contre,
l'autre route, là sur la gauche, dit-elle les
yeux brillants, continue toujours tout droit, à
perte de vue; et si tu la prends, crois-moi, tu
ne te demanderas jamais ce que tu aurais
manqué en ne prenant pas l'autre. Le long de
cette route qui semble toujours pareille mais
qui change tout le temps, il t'arrivera des histoires que tu n'aurais jamais imaginées, des
histoires merveilleuses, incroyables. L'aventure, c'est par là que tu la rencontreras. Alors
je crois savoir le côté que tu vas choisir.

Et elle sourit largement, de ses quatre-vingts dents.

Dominic dénoua fébrilement son grand foulard à pois, en sortit des sardines et les donna à la sorcière qui les avala d'un seul coup. Puis il la remercia de ses bons conseils et, la queue haute, s'engagea sur le chemin de gauche, le chemin de l'aventure.

2

Le chemin de l'aventure s'enfonçait tout d'abord dans un sous-bois ombreux. De part et d'autre, les arbres se dressaient élancés et solennels. À travers les feuilles filtrait une lumière aux reflets verts comme à travers les vitraux d'une église. Dominic s'avançait sans bruit, respirant toutes les suaves odeurs de la forêt, les narines palpitant de plaisir à chaque effluve nouveau. Il sentait la terre humide, les champignons, les feuilles sèches, les violettes, la menthe sauvage, la résine, le bois pourrissant, les laisses d'animaux, les myosotis, les mousses, et tous ces parfums le grisaient. Les odeurs lui parvenaient comme des notes iso- lées, comme des échos de percussions, ou fondues ensemble comme de riches harmo- nies. Dominic inspiré sortit son piccolo et se mit à jouer. Et il inventa une mélodie qu'il décida d'intituler le *Psaume des parfums*.

Ensuite il parvint sur les bords d'un pai- sible étang. Il rangea son piccolo et parcou- rut la rive herbeuse, inspectant les plantes, les cailloux, les fourmilières, puis s'assit pour se sustenter un peu. À peine avait-il avalé deux sardines que la surface lisse de l'étang se rida et qu'apparut un énorme poisson-chat qui le dévisagea d'un œil fixe.

— Tu es Dominic, affirma le poisson-chat.

Dominic écoutait, frémissant d'attention.

— Oui, je suis Dominic, dit-il. Qui êtes-vous ?

— Je ne peux pas te dire mon nom, répondit le poisson-chat. Mais j'ai quelque

chose pour toi. J'attendais que tu passes pour pouvoir te le donner.

Et il tendit hors de l'eau une longue lance à la lame acérée.

— Tu vas en avoir bien besoin, ajouta-t-il. Cette lance pointue te rendra invincible dans les combats dangereux. Du moins, si tu sais t'en servir correctement.

— Et comment s'en sert-on «correctement » ? demanda Dominic en acceptant la lance.

— S'en servir «correctement», reprit le poisson, c'est l'utiliser si adroitement qu'aucun adversaire ne puisse avoir le dessus.

— Je vois, répondit Dominic. Merci beaucoup.

— Pas la peine de me remercier, dit le poisson. J'obéis à des ordres reçus.

Et il disparut, laissant à la surface une onde circulaire qui bientôt disparut à son tour.

Dominic ne put jamais découvrir de qui le poisson-chat avait reçu ses ordres. Il supposa simplement que c'était de la sorcière.

Se souvenant du poisson, il se sentit coupable d'avoir mangé des sardines. Mais il se consola bien vite et en avala une autre. Puis il jeta le bâton avec lequel il portait son baluchon et le remplaça par la lance. Ensuite, ayant coiffé son képi des fusiliers du roi, il reprit sa route.

Quelques instants plus tard lui fut administrée la preuve que la sorcière n'avait pas menti en lui annonçant que sa route serait jalonnée d'aventures... Il tomba au fond d'un grand trou. Levant les yeux vers la surface... il comprit pourquoi le poisson-chat lui avait annoncé qu'il aurait besoin de sa lance. Au bord de l'orifice trois têtes masquées étaient penchées sur lui. C'étaient trois membres du gang des Affreux.

Le gang des Affreux volait, pillait, attaquait, détroussait en particulier les innocentes créatures isolées ou les voyageurs, et accumulait toutes sortes de méfaits; et le trou dans lequel avait chu Dominic était un piège destiné à capturer quiconque ayant le malheur de passer par là. Dominic n'avait pas vu le trou car il avait été habilement recouvert de feuilles de fougère disposées de façon à donner l'impression qu'elles étaient tombées au hasard.

3

— Eh bien, dites donc, regardez ce que nous avons attrapé! s'exclama le renard qui était le capitaine de la bande. Je crois que nous avons fait une bonne prise. Nous tenons l'oiseau rare.

Et il se mit à rire.

— Je parie qu'il y a une flopée de trucs intéressants dans ce gros baluchon, déclara la fouine accroupie à côté de lui. Il a l'air aussi plein qu'une citrouille mûre.

— Je me demande si cette bête-là est bonne à manger, dit le troisième personnage — un putois — regardant au fond du trou.

— Non, sa viande est trop dure, affirma le renard, mais on peut sûrement en tirer parti d'une façon ou d'une autre, pour chasser, par exemple. Ces bêtes sont douées d'un odorat prodigieux.

Ces coquins ne savaient pas trop ce qu'ils voulaient mais ils étaient certains d'une chose : le mal était leur spécialité, ils excellaient à mal agir en toutes circonstances. Et tout un chacun aime briller dans l'activité de son choix.

— Il fait trop de bruit, remarqua la fouine.

En effet, Dominic émettait une série d'aboiements assourdissants. Puis pour les effrayer, il gronda mais cela ne parut leur faire ni chaud ni froid.

— Maintenant on va le tirer de là et le ficeler ! décida le renard.

Et tous trois firent mine de descendre dans le trou.

— Arrière ! Arrière vous autres ! leur enjoignit Dominic.

Et sans attendre une réponse, il se mit à décocher de grands coups de lance dans leur direction.

— Aïe ! s'écria la fouine bien qu'elle n'eût pas été touchée.

— Ouille ! fit le putois.

— Saperlipopette ! s'exclama le renard.

Ils se démenèrent pour essayer de l'atteindre avec des bâtons, des gourdins, des poignards, mais Dominic les tenait en respect avec l'arme merveilleuse que lui avait donnée le poisson-chat. Ils étaient tous trois aussi astucieux que seuls peuvent l'être un renard, une fouine et un putois réunis... mais la lance impétueuse et acérée de Dominic les tenait en échec. Ils essayaient de la lui faire sauter des mains, mais Dominic était trop rapide, trop adroit pour eux et il ignorait la peur.

– Si on allait chercher de l'aide ? proposa la fouine décontenancée.

– Non, dit le renard. Nous allons l'avoir à l'usure. À s'agiter de cette façon, il sera épuisé d'ici peu.

Mais ils ne connaissaient pas Dominic : à la nuit tombante, c'était le gang des Affreux qui était épuisé. Dominic, au contraire, ne s'était jamais senti si vigoureux. Il était ainsi fait que l'action le galvanisait. Il expédiait sa lance au-dessus de lui avec une précision et une dextérité accrues.

– Je ne crois pas qu'on puisse l'attraper tout de suite, dit le renard. On va simplement le garder au fond du trou. Je propose que maintenant nous fassions un somme et demain matin il sera à nous. Pendant que nous nous reposons, il va passer la nuit à se ronger les sangs, et ensuite pour l'avoir ce ne sera plus qu'un jeu d'enfant.

La fouine et le putois l'approuvèrent. Ils approuvaient d'ailleurs invariablement le renard, mais même dans le cas contraire rien n'eût été changé. Le renard avait toujours gain de cause avec eux.

Sans compter qu'ils étaient fatigués. Ricanant de la position précaire de Dominic, ils recouvrirent le trou de rondins et, après avoir encore échangé quelques plaisanteries fielleuses, ils s'endormirent dessus, certains de conclure avec succès leur opération dès le lendemain matin.

Au fond du trou où l'air devenait un peu confiné avec tous ces troncs d'arbres qui en condamnaient l'orifice, Dominic n'éprouvait nulle inquiétude. Les défis de ce genre étaient son pain blanc. Tous les aléas qu'il pouvait rencontrer dans l'existence lui étaient autant d'occasions de tirer parti de

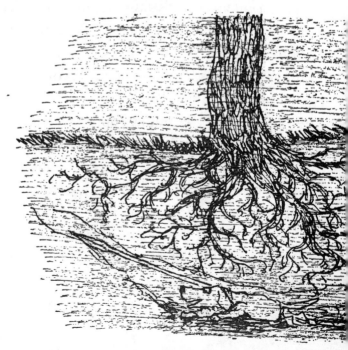

son astuce et de son habileté. Et il prenait le plus vif plaisir à sortir victorieux de ces épreuves.

Avec les trois coquins endormis au-dessus de lui en travers des rondins, il lui était impossible de sortir du trou. C'était l'évidence même. Qu'auriez-vous fait dans la situation critique où se trouvait Dominic ?... Eh bien, c'est exactement ce qu'il fit : il mit à contribution son talent particulier pour creuser. Et tandis que ses ennemis étaient perdus dans leurs rêves néfastes, il attaqua un

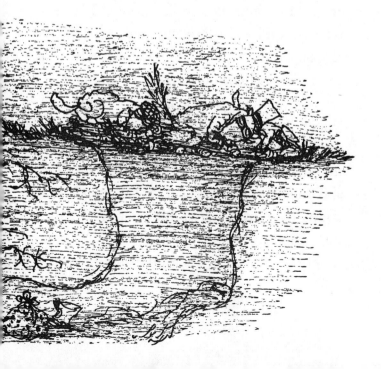

côté du trou de toute l'énergie de ses pattes. Et il mit tant de dextérité à forer sa galerie souterraine que bientôt la cavité fut assez profonde pour qu'il pût y engager la lame de sa lance et s'en aider pour creuser le sol. Et, tout en s'escrimant sans relâche, il se félicitait de s'être aventuré dans le vaste monde pour y chercher fortune. Il y avait tant de choses passionnantes à faire! Des ongles des quatre pattes, et du fer de son arme, il réussit à creuser un long tunnel qui le mena de biais jusqu'à l'entrelacs de racines d'un grand arbre. Il obliqua alors pour monter à la verticale jusqu'à la surface. Juste avant l'aube, il se trouvait dans l'herbe, à plusieurs mètres du gang des Affreux endormi. Il entendit le renard ronfloter doucement, la fouine se lécher les babines. Surexcité par la réussite qui était venue couronner ses efforts, Dominic ne put s'empêcher de lâcher un bref aboiement pour annoncer sa délivrance. Du coup le renard, la fouine et le putois s'éveillèrent brusquement. Les bords du trou supportaient à peine les rondins posés en travers auxquels s'ajoutait leur poids ! Et dès leur premier violent sursaut, ce plancher précaire s'effondra et les trois coquins, glapissant et s'entregriffant, dégringolèrent au fond du piège qu'ils avaient eux-mêmes creusé. Pour sa part, Dominic, plus que jamais assoiffé d'aventures, s'était remis en route, tous sens en alerte.

4

L'aube se leva, rose et fraîche. Tout en trottant, Dominic ne cessait de se féliciter de sa liberté recouvrée. Mais le contrecoup de son dur labeur nocturne commençait à se faire sentir. Éreinté, il se laissa tomber sur le bord du chemin et exhala un profond soupir. Puis, après s'être agité deux ou trois fois, il s'endormit en chien de fusil alors que toutes les autres créatures s'éveillaient aux alentours.

Ce fut un sommeil réparateur. Dans ses rêves, il revécut les épisodes de la longue nuit qui venait à peine de s'achever. À nouveau, il était au fond de trou grattant avec vigueur des ongles et de la lance avec les trois canailles endormies au-dessus de lui. Un jappement monta dans sa gorge mais il le réprima aussitôt sachant que, même en rêve, il fallait creuser en silence.

Ce rêve fut brusquement interrompu par le bourdonnement frénétique d'une guêpe qui se débattait dans une toile d'araignée tendue entre les branches d'un arbuste derrière lui. Entendant ce bruit, il fit un bond avant même d'avoir émergé du sommeil. Il avait été piqué une fois par une guêpe sur le bout de la truffe tandis qu'il flairait une pivoine. Et cette expérience lui avait suffi! Il avait dû se plonger le nez dans une flaque d'eau boueuse et froide pendant une heure avant de ressentir le moindre soulagement.

Cependant, la vue de la guêpe luttant pour se libérer éveilla la pitié de Dominic. De plus, il n'aimait pas les araignées, surtout quand elles marchaient avec cette ribambelle de pattes. Il n'avait aucune envie de se faire piquer et savait qu'il ne risquait rien tant que la guêpe restait prisonnière de la toile, mais son amour passionné de la liberté prit le dessus. Il saisit sa bonne lance et se tenant aussi loin que possible de la toile d'araignée la

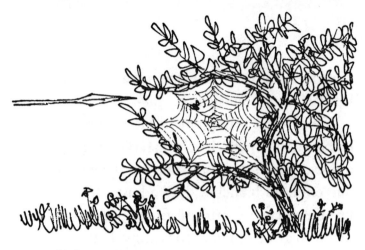

déchira, délivrant la guêpe. Puis il recula précipitamment.

La guêpe libérée le suivit et se mit à
décrire des cercles au-dessus de lui. Dominic,
observant ses mouvements étranges, la vit
tournoyer, piquer, se redresser, écrire d'une
invisible encre aérienne le mot MERCI et disparaître dans le bleu frémissant du ciel.

Pour son petit-déjeuner, Dominic mangea quelques champignons, un brin de
menthe, et une gousse d'ail sauvage. Puis il

se coiffa de son chapeau montagnard, celui orné d'une plume verte, et sa lance sur l'épaule avec son baluchon solidement amarré au bout, repartit pour son grand voyage.

5

«Quel monde merveilleux!» songeait Dominic, «quelle perfection!»

Cela eût-il dépendu de lui, aux temps lointains de la création, il n'aurait rien changé à rien. Chaque feuille était exactement à sa place. Les pierres, les cailloux, les fleurs, tout était à sa place. L'eau coulait où elle devait couler. Le ciel était d'un bleu idéal. Tous les sons s'accordaient. Chaque chose avait son odeur adéquate. Dominic était maître de lui-même et en harmonie avec le monde. Il baignait dans un bonheur sans nuages.

À un détour du chemin, il aperçut des volutes de fumée qui se déroulaient joliment au-dessus d'une jolie cheminée, et sous la cheminée il vit une étrange petite maison, d'une étrangeté charmante et sans défaut. Il décida de la visiter et peut-être de boire une tasse de thé avec son ou ses habitants. Jamais Dominic ne revenait sur une impulsion, jamais il ne tergiversait, ne barguignait, n'était perplexe de-

vant le choix à faire. La pensée et l'action étaient pour lui inséparables ; à l'instant où il songeait à faire quelque chose, il était déjà en train de le faire. Il alla donc frapper à la porte et tendit l'oreille. Une voix faible demanda :

— Qui est là ?

— C'est moi, Dominic, répondit Dominic.

— Qui est Dominic? s'enquit la voix faible en chevrotant.

— Je suis un voyageur de passage et j'aimerais vous saluer, vous qui habitez une aussi charmante maison, et bavarder un moment avec vous.

— Pour moi, vous devez être du gang des Affreux, dit la voix à l'intérieur. Et vous changez votre voix en essayant de vous faire passer pour un chien. Et vos amis sont là derrière vous à guetter. J'ai l'impression de les voir d'ici…

— Non, non, je suis bien Dominic! Et je vais aboyer pour vous le prouver!

Et il aboya.

— Montre ta tête à la fenêtre, reprit la voix.

Dominic bondit devant la fenêtre et, debout sur la pointe des pattes arrière, posa ses pattes avant sur le rebord et jeta un coup d'œil à l'intérieur.

Il vit alors gisant au fond de son lit un cochon très vieux et très ridé, l'air bien

malade et pas rose du tout. Enfoncé dans les oreillers, il était couvert d'une courtepointe extravagante comme Dominic n'en avait jamais vu. Sur le fourneau, non loin du lit, chantait une bouilloire. Et bien entendu, de ses yeux las au regard éteint, le cochon vit Dominic.

— Entre, dit-il, la clef est sous le pot de fleurs à gauche de la porte.

Dominic entra.

— Referme bien la porte, s'il te plaît, dit le cochon.

Et Dominic s'empressa de tourner la clef. Il commençait toujours par sentir les odeurs, Dominic. Cette pièce-là sentait la chambre de malade. L'air y était vicié et le cochon, lui, sentait le cochon malade. Dominic alla vers le lit et s'assit près de lui.

— Je suis désolé de vous voir dans cet état, dit-il.

— Non seulement je suis très souffrant, répondit le cochon, mais aussi bien malheu-reux. J'ai eu tout juste la force d'allumer le feu et de mettre la bouilloire à chauffer. Le thé me remonte toujours le moral. J'avais envie d'en boire un peu.

– Tout comme moi, dit Dominic. Je m'en vais le préparer. Restez donc couché bien tranquille.

Il flaira également le sucre et le lait. Et pendant qu'il y était, il flaira également quelques biscuits et de la marmelade d'oranges, ainsi que des œufs de perdrix qu'il battit avec un brin de persil frais.

La célérité de Dominic eut un effet tonique sur le vieux cochon malade qui se déclara tout ragaillardi.

– Comme j'ai eu de la chance, dit-il, que tu passes par cette route. Et où vas-tu, à propos, si je ne suis pas indiscret?

– Nulle part en particulier, répondit Dominic. Je vais de l'avant tout simplement, je marche à la découverte, au petit bonheur la chance.

– Ma foi, j'espère que tu ne vas pas découvrir le gang des Affreux, soupira le cochon.

— Je crois l'avoir déjà rencontré, répondit Dominic.

Et il lui parla du renard, de la fouine, du putois qui avaient cru le prendre au piège en le faisant tomber dans un trou.

— C'est bien eux, marmonna le cochon. Ils font partie de la bande.

— Eh bien, ils ne me font pas peur, affirma Dominic, apportant au cochon son thé et ses biscuits.

Puis, affamé, il se mit à dévorer à son tour sans tarder. Qui des deux mangeait le plus délicatement? C'était bien difficile à dire. Chacun avait ses manières personnelles, sa façon de s'expliquer avec un œuf, sa façon de

tenir sa tasse et de siroter son thé. Le cochon assura que Dominic faisait la cuisine aussi bien que le chef le plus accompli. Et Dominic rougit sous son pelage.

– Parlez-moi donc de vous, dit-il en rangeant la vaisselle sale.

Il avait consacré jusque-là toute son attention à la préparation du repas mais était maintenant curieux de mieux connaître son hôte.

– Très bien, dit le cochon, viens t'asseoir près de moi. Je me fatigue assez vite et je ne peux pas parler pendant que tu t'affaires.

Et Dominic s'installa confortablement à côté du lit.

– Je m'appelle Blaireau, commença le cochon. Bartholomé Blaireau. Et surtout ne demande pas comment une famille de cochons peut porter le nom de Blaireau. Je n'en sais rien. Et mon père et mon grand-père ne le savaient pas non plus. Ce nom doit remonter à... Enfin, j'ai plus de cent ans. S'il fallait que je te raconte l'histoire de ma vie, à peine capable d'articuler comme je suis, il me faudrait encore une bonne centaine d'années. Je vais simplement te raconter deux ou trois choses…

Mais d'avoir tant parlé le cochon fatigué tomba endormi.

Dominic le frictionna avec un liniment à l'alcool pendant qu'il dormait. Puis il ouvrit toutes les fenêtres pour laisser entrer l'air frais et chasser l'odeur de renfermé. Ensuite, il sortit et alla cueillir un bouquet de fleurs sauvages, assez sauvages pour ne pas avoir de nom, et les disposa dans un joli vase sur la table de chevet de M. Blaireau.

Dès son réveil, M. Blaireau se remit à parler comme s'il ne s'était jamais interrompu :

— Je suis seul au monde et je sais que je n'ai plus que bien peu de temps à vivre. J'ai mené une vie très intéressante. Je voudrais pouvoir te parler de toutes les histoires merveilleuses qui me sont arrivées, de toutes les choses extraordinaires que j'ai vues, de toutes les aventures palpitantes que j'ai vécues. J'espère que tu as…

Et M. Blaireau se rendormit. Une mouche bleue se mit à bourdonner autour de son groin. Dominic la chassa d'un geste.

Après une heure de repos, le cochon se réveilla et reprit:

– J'ai eu aussi de la chance dans la vie. On était bien tranquille ici dans le temps. On ne pouvait pas rêver un coin plus agréable. Mais maintenant tout le monde vit bouclé à double tour et reste en permanence sur le qui-vive dans la crainte d'ennuis inattendus. Ai-je dit «inattendus»? Mais ils sont attendus, au contraire. C'est cette sacrée bande des Affreux. Dieu sait d'où ils sortent et comment ils ont commencé. Mais ils n'arrêtent pas de sillonner cette route où ils commettent méfaits sur méfaits et sèment l'inquiétude et la panique chez tous les habitants. Quand j'étais plus jeune, ils ne me posaient aucun problème. Ils avaient peur de moi. J'étais un cochon drôlement costaud, je dois dire. Mais maintenant que je suis vieux et faible, ils essaient toujours d'entrer ici pour y voler, chaparder tout ce qui peut leur tomber sous la patte. Si seulement je pouvais retrouver ma force un seul jour, histoire de les traiter comme ils méritent. Alors on en verrait des poils voler!

M. Blaireau fut saisi d'une telle émotion en faisant cette déclaration qu'il se mit à trembler. Son lit fut pris de vibrations et la maison même tout entière parut frémir de rage. Dominic s'employa à le calmer. Il lui promit de rester aux aguets et de s'assurer que personne n'entrerait dans la maison.

Il ferma avec soin toutes les portes et les fenêtres et, se souvenant de l'histoire des trois petits cochons, ranima le feu dans l'âtre pour que personne ne pût descendre par la cheminée.

Et M. Blaireau encore une fois se rendormit. Dans la maison, il faisait de plus en plus chaud. Dominic à son tour s'assoupit. Tous deux se mirent à rêver de canicule, de soleil tropical, de braises ardentes, de vapeurs brûlantes, de ruisseaux de lave en fusion...

6

Durant les jours suivants, Dominic remplit pour M. Blaireau les rôles d'infirmier, d'homme à tout faire et d'ami. Il le nourrit du mieux qu'il put, lui garda sa maison propre et bien rangée, lui parla et l'écouta parler. Il le réchauffa quand il avait froid et l'éventa quand il avait trop chaud. Et surtout, il lui fut du plus grand secours en lui jouant du piccolo. Cette musique, en effet, rendit au cochon la sérénité d'esprit qu'il avait perdue.

Un jour M. Blaireau demanda à Dominic de s'asseoir près de lui pour une conversation sérieuse.

– Dominic, commença-t-il, Dominic, mon ami – même si nous ne nous connaissons que depuis quelques jours, tu es mon ami –, Dominic je sais que mon heure est venue de quitter cette terre. J'ai vécu plus de cent ans et me voilà au bout du rouleau. Je suis arrivé à la fin de l'histoire intitulée Bartholomé Blaireau. Comme je te l'ai déjà dit, je suis seul au monde. J'ai eu de nombreux parents, beaucoup d'amis, qui tous m'étaient chers, mais ils ont tous rendu l'âme avant moi. J'étais le petit dernier de ma mère, le bébé de la famille.

Tandis que M. Blaireau s'interrompait pour se reposer, Dominic s'efforça de l'imaginer sous les traits d'un bébé mais il ne réussit à se représenter qu'un très vieux cochon minuscule et tout ridé.

– Et puis je me suis marié, reprit M. Blaireau, et j'ai été très heureux en ménage. J'adorais ma femme et tout allait bien mais nous n'avons jamais eu d'enfants. C'est la seule chose qui nous a manqué dans l'existence. Ah, comme nous aurions aimé avoir nos petits porcelets! Naturellement nous aimions beaucoup jouer avec ceux des autres mais ce n'était pas comme si nous avions eu les nôtres. Dominic, j'espère pour toi que tu auras beaucoup d'enfants. Mais aujourd'hui, je veux te parler d'un problème plus immédiat... Un instant que je reprenne ma respiration.

Il avait visiblement une annonce importante à faire.

– Dominic, veux-tu m'apporter un petit verre de cognac que je puisse continuer à parler?

Dominic alla chercher un flacon d'eau-de-vie de pomme et en servit deux verres. C'était un vrai tord-boyaux et il dut exhaler bruyamment son souffle à plusieurs reprises pour apaiser la brûlure au fond de sa gorge.

– Dominic, voilà de quoi il s'agit, enchaîna M. Blaireau. Cette infecte bande de voleurs et de coupe-jarrets ne se contente pas de convoiter ce que tu vois dans cette maison. Ils savent que je suis très riche – maintenant tu le sais aussi – et ils veulent ma fortune. Mais il n'est pas question qu'ils fourrent leurs sales pattes dessus. Mon bien est enterré et je suis le seul à savoir où. Ces Affreux ont tout essayé pour m'arracher mon secret. Ils ont même passé une journée à me prêcher la charité, un à chaque fenêtre, me faisant de pieux sermons. Mais j'ai vécu assez longtemps, Dieu merci, pour savoir ce que valent ces singeries.

M. Blaireau posa un regard affectueux sur Dominic.

– Dominic, dit-il, posant un sabot sur la patte de Dominic, je veux que tu sois l'héritier de ma fortune.

Dominic resta tout saisi.

– Non, non, protesta-t-il. Je ne vous ai pas aidé pour obtenir quoi que ce soit de vous. Je vous ai aidé parce que vous aviez besoin de l'être. D'ailleurs, vous n'allez pas mourir, voyons.

— Si, répondit Bartholomé Blaireau. Aussi sûr que nous sommes le mercredi 14 je vais mourir.

Dominic jeta un coup d'œil au calendrier. On était le mercredi 14.

— Je sais bien que tu ne m'as pas aidé dans l'espoir d'une récompense. D'ailleurs ce n'est pas une récompense. Toute ma fortune, tous mes biens, je te les laisse, point final. Tu as vu ce poirier derrière la maison? Tiens-toi juste au pied de l'arbre, face au sud. Fais cent trois pas et tu atteindras quatre pierres noires dessinant un carré. Ôte les pierres et creuse. Tout est à toi, tout.

— Gardez votre argent, répliqua Dominic. Je n'en veux pas. Je veux simplement que vous restiez vivant et en bonne santé. Je parie que vous êtes capable de vivre encore cent ans de plus.

— Sornettes, dit le cochon, l'air très fatigué. Je ne sais pas exactement quand je vais partir mais je vais te dire adieu sans attendre.

Je suis si heureux de t'avoir connu et si touché de ta gentillesse. Maintenant, veux-tu
me jouer une belle musique sur ton piccolo?

Dominic prit sa petite flûte. Il joua un
bon moment et pendant ce temps-là Bartholomé Blaireau partit pour l'autre monde avec
un sourire paisible sur le visage. Dominic,
inquiet, tenta de le réveiller. Puis il se rendit
compte que le cochon était mort.

7

Dominic sortit pour faire une longue marche et longuement réfléchir. Il marchait encore quand les premières étoiles s'allumèrent. Plein de tristesse, il s'étendit sur le sol et considéra le ciel étoilé. La vie était une chose mystérieuse. Bartholomé Blaireau avait vécu longtemps avant qu'existât Dominic, bien longtemps avant que quiconque pût songer qu'un jour existerait un chien comme lui. Deux heures plus tôt Bartholomé Blaireau était encore vivant. Mais maintenant il était parti. Il n'y avait plus de Bartholomé Blaireau. Il ne restait que son souvenir. Il avait atteint la fin du voyage. Dominic était encore au début du sien. Beaucoup d'autres créatures n'avaient pas encore commencé à exister.

Mais un jour, dans l'avenir, elles apparaîtraient en foule considérable, peupleraient un monde nouveau ; certaines auraient de l'importance, d'autres pas, et beaucoup s'interrogeraient sur la vie tout comme Dominic était en train de le faire. Elles auraient leur voyage à faire et alors celui de Dominic serait achevé. Quantité d'entre elles penseraient au passé qui était aujourd'hui le présent, mais alors ce qui était aujourd'hui l'avenir serait devenu le présent. Et il se trouva que ce genre de réflexion rendit Dominic plus religieux que d'habitude. Il s'assoupit sous le vaste dôme piqueté d'étoiles frémissantes et, juste au moment où il sombrait dans le sommeil, pénétrant dans la zone des rêves, il sentit qu'il était en train de comprendre le secret de la vie. Mais à la lumière du matin, lorsqu'il se réveilla, sa compréhension du secret s'évanouit avec les étoiles, le mystère était toujours là, intact, aussi fascinant que la veille.

Dominic regarda la maison, oublieux de son petit-déjeuner. Il n'avait pas le cœur à manger. Dans la resserre à outils de M. Blaireau, il alla chercher une bêche, et sous le soleil du matin il travailla sans relâche à creuser un trou profond. Il le creusa devant la façade sous un grand chêne aussi vieux que M. Blaireau et il enterra le cochon dans le trou.

Puis il s'appuya sur sa bêche pour se reposer, le manche de bois chauffé par son effort prolongé. À l'instant où il cessa de travailler, il sentit son cœur se serrer, et il fut pris d'une envie de pleurer. La vie soudain était trop triste. Pourtant elle restait belle. La beauté s'estompait quand vous emplissait la tristesse. Mais elle retrouverait son éclat lorsque la tristesse serait partie. Ainsi la beauté et la tristesse étaient inséparables en un sens, tout en différant complètement l'une de l'autre.

Dominic ne pouvait trop longtemps s'attarder dans le marasme. Le marasme était un état accablant et Dominic avait l'esprit naturellement espiègle. Il aimait jouer et folâtrer. Il lui fallait donc de l'action. Il s'ébroua pour chasser ses idées noires et, comme il tenait toujours la bêche avec laquelle il avait enterré M. Blaireau, il décida d'aller déterrer le trésor.

Il alla se poster au pied du poirier derrière la maison, s'orienta d'après la girouette sur le

toit qui donnait les quatre directions princi-
pales du monde et fit face au sud, le dos à
l'arbre. Puis il compta avec soin cent trois pas
et s'arrêta pour considérer les quatre pierres
en forme de carré décrites par le cochon. Il
n'y en avait pas trace.

Peut-être avait-il fait une erreur? «Res-
tons calmes», se dit-il. Il revint vers le poirier, s'assura qu'il était bien tourné dans la
bonne direction et refit cent trois pas. À
nouveau, pas la moindre pierre. Il s'assit pour
réfléchir. «Ah! Quand M. Blaireau parlait de
pas, songea-t-il, il parlait de ses pas à lui, des
pas de cochon, pas des pas de chien!» Il bondit sur ses pattes, retourna une fois de plus
jusqu'au poirier, compta cent trois pas et
poursuivit vers le sud. À cent cinquante et
un pas de chien, il découvrit les quatre
pierres noires dont avait parlé M. Blaireau.
Alors il les écarta et se mit à creuser.

Sous la couche d'humus, la bêche rencontra quelque chose de dur. Il se trouva que
c'était un coffret cerclé de bandes de métal

rivetées. Il le sortit en le tirant par la poignée de fer et l'ouvrit. Il était rempli jusqu'au bord de perles fines. Par-dessus tout le cochon avait eu la passion des perles et c'étaient ces précieuses concrétions qu'il avait en dernier enfouies dans sa cachette souterraine. Au-dessous se trouvait un autre coffret un peu plus grand que le premier. Dominic en brisa la serrure avec un gros caillou. Le coffret débordait de diamants, de rubis, d'émeraudes, d'améthystes, de saphirs, de béryls, de grenats et autres pierres précieuses, toutes sous forme de colliers, bagues, pendentifs, anneaux de nez, broches, bracelets, médaillons et breloques. Et lorsque ces objets furent étalés en plein soleil, des étincelles de lumière cristallines et chatoyantes pétillèrent dans toutes les directions.

Dominic resta un instant émerveillé devant ce spectacle. Puis il creusa un peu plus loin. Tout au fond du trou, dans le sol compact, il trouva un sac de cuir gonflé de pièces d'or. Il y avait quelque chose d'autre dans le sac. Comme pour prouver que c'était le destin qui avait lancé Dominic dans le vaste monde et l'avait conduit vers la maison du cochon puis jusqu'au trésor, il découvrit un piccolo, l'instrument même dont il aimait tant jouer, un piccolo en or massif.

Il fit aussitôt l'essai de ce nouvel instrument : les notes qu'il en tira étaient d'or pur comme la flûte. Les joyaux étincelant au soleil, la musique joyeuse égrenée par son piccolo et les fleurs sauvages épanouies tout autour de lui achevèrent de balayer les vestiges de sa mélancolie.

Perdu dans son extase, il ne se rendit pas compte qu'il avait été encerclé par une horde de créatures hostiles. Tous les membres du gang des Affreux – quatre renards, trois fouines, trois furets, une hermine, huit putois, deux chats sauvages, un loup, six matous, deux coyotes et un quarteron de rats armés jusqu'aux dents d'engins variés – avaient formé un vaste anneau autour de lui et les considéraient tour à tour, lui et son fabuleux trésor, tapis derrière des rochers, des arbres, des buttes de terre, la maison, l'abri, les autres bâtiments, bref, derrière tout ce qui pouvait leur offrir une cachette.

Soudain, le nez de Dominic qui s'agitait distraitement depuis un moment eut un tressaillement. Il y avait du grabuge dans l'air. Dominic cessa de jouer, jeta un coup d'œil autour de lui et en vit assez pour comprendre qu'il était cerné de toutes parts. Sa lance! Où était la lance merveilleuse? Il aboya férocement pour intimider ses ennemis, courut jusqu'à la maison, y prit sa lance et revint au galop jusqu'au trésor avant que la troupe des malandrins ait pu l'atteindre. Alors ses adversaires marchèrent sur lui. Quelle bataille homérique ce fut! Dominic, seul, contre toute une armée… la bande des Affreux au grand complet. Ils essayèrent de faire main basse sur ce qu'ils pouvaient prendre du trésor, ils essayèrent de culbuter Dominic. Mais ce dernier était résolu à ne pas se laisser voler ni culbuter, non qu'il se souciât tellement du magot, mais il exécrait toutes les formes de friponnerie.

Les coquins se démenaient avec leurs armes, faisaient des moulinets avec leurs épées, leurs bâtons, leurs poignards; ils atta-

quaient de toutes parts, de côté, de face, par-derrière, mais Dominic maniait sa lance avec une telle habileté, une telle force, une telle férocité et une telle promptitude que pas une des fripouilles ne réussit à toucher au trésor.

Quel éclat! Quel fracas d'armes sous les ardents rayons du soleil! Jamais nul ne se battit si furieusement, si obstinément que Dominic pour protéger les précieux bijoux du cochon ainsi que sa précieuse personne. Ce ramassis de vauriens avait fait les pires misères à M. Blaireau avec leurs odieuses manigances et Dominic s'était juré que pas

un d'entre eux ne chaparderait, fût-ce une simple perle.

Le trou qu'il venait tout juste de creuser était superflu pour lui rappeler celui au fond duquel ils avaient cru le prendre au piège.

La bataille se poursuivait sans trêve et finalement Dominic commença à se fatiguer. Seul contre un si grand nombre ! Les bandits pouvaient se reposer, attendre leur second souffle, par groupe de deux ou trois, mais Dominic, lui, ne pouvait espérer aucun répit. Il commençait à haleter terriblement et savait que ses forces allaient tôt ou tard le trahir. Il lui faudrait abandonner son trésor et s'enfuir au galop s'il voulait continuer à vivre. Du regard, il chercha une issue autour de lui, vainement.

Alors il entendit quelque chose. Un bruit très faible, tout d'abord lointain, puis qui s'enflait et se rapprochait rapidement. Un bourdonnement très caractéristique. Et soudain l'air s'emplit du vrombissement de milliers de guêpes furieuses qui, surgissant de tous les points cardinaux, fondirent en

grappes sur les membres de la bande des Affreux qu'elles pourfendirent de leurs dards à gauche, à droite et au milieu. Alors quels glapissements, quels hurlements! Quels braillements! Quel concert de cris, de piaulements, de couinements! Quelles cavalcades, quelles bousculades, quels plongeons dans les trous, les fosses, quelles galopades pour aller se tapir dans les hautes herbes, sous les arbres et les buissons, au milieu même des ronces! La horde des guêpes vengeresses pourchassa les diables en déroute de la bande des Affreux à travers tout le paysage estival jusqu'à leur disparition complète. Ce fut une véritable déroute. Mais une guêpe resta en retrait et avant de filer rejoindre les autres, s'étant assurée qu'elle avait capté l'attention de Dominic, inscrivit dans l'air ces deux mots : « Souviens-toi. »

– Merci ! s'écria Dominic.
– Merci, écrivit la guêpe.

8

Dominic était épuisé. Il suivit des yeux avec affection la guêpe qui s'en allait, puis se laissa tomber sur le sol où il se roula dans l'herbe fraîche jusqu'à ce que ses halètements se fussent calmés.

Après quoi, il s'endormit jusqu'au lendemain matin, ne se réveillant qu'une fois, brièvement, pour écouter un hibou. «Pourquoi y a-t-il des hiboux?» se demanda-t-il. «Pourquoi tout le reste?» répondit-il, et il sombra à nouveau dans le sommeil.

Dans la matinée, Dominic se souvint d'un devoir qu'il avait oublié d'accomplir la veille: la fabrication d'une pierre tombale convenable et durable pour la fosse où il avait enterré M. Blaireau. Il trouva une dalle de granit bien plate sur laquelle il grava :

CI-GÎT

BARTH. BLAIREAU
COCHON MERVEILLEUX
MORT CENTENAIRE

Il plaça la pierre à la tête de la sépulture, tassa la terre autour et disposa quelques roses rouges à l'autre extrémité. À nouveau, les larmes lui vinrent aux yeux.

Il regagna ensuite la maison, prit son petit-déjeuner, emballa quelques sandwichs, des gâteaux secs et des fruits dans son foulard. Après avoir verrouillé la porte d'entrée, il mit la clef sous le pot de fleurs de gauche. Il ne voyait pas quoi faire d'autre.

Il attacha ensemble les coffrets du trésor, referma le sac de pièces d'or, glissa le pic-colo d'or dans son baluchon et, avec un bout de corde trouvé dans l'ap-pentis, se dé-

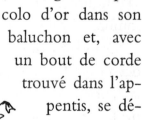

brouilla pour arrimer les deux coffres et le sac sur son dos. Puis il fit ses adieux silencieux à M. Blaireau et à sa maison et partit à pas titubants, chargé de sa prodigieuse fortune.

Il faisait très chaud et son fardeau était considérable. Souvent, il devait se reposer. Vers la fin de la matinée, il s'arrêta près d'une pimpante chute d'eau et prit un bain dans le gracieux bassin qu'elle alimentait en savou-

rant le plaisir de ne faire qu'un avec l'élément liquide.

Après quoi, il lava ses vêtements, les suspendit sur sa lance et fit un somme pendant qu'ils séchaient.

Rafraîchi, reposé, il rajusta son chargement et reprit sa route. Mais bientôt ses pattes commencèrent à faiblir, à flageoler, et il songea à regret que ses richesses pesaient vraiment bien lourd. Or, voilà qu'une côte à grimper se présentait, ce qui empirait encore son cas.

Parvenu au sommet de la colline, il tomba sur un âne endormi. Dominic déposa son fardeau en se penchant de côté et tapota respectueusement l'épaule de l'âne. Pas de réponse. Dominic aboya.

Du coup l'âne fit un bond, et se retrouva sur ses pattes, à moitié réveillé. Puis, clignant des yeux, il posa sur Dominic un regard terne et noyé.

— Ouais, qu'est-ce qui se passe? fit-il en bâillant.

— Bonjour, dit Dominic. J'espère que vous êtes réveillé. J'ai une proposition à vous faire. Voyez-vous tous ces bagages?

L'âne posa son regard chargé de lassitude sur les coffrets.

— Eh bien! ces coffrets contiennent un trésor. Des perles, de l'or, des pierres précieuses. Au fait, je m'appelle Dominic, et vous?

— Elijah... Elijah Jambonot, répondit l'âne. Comment ça va?

— Donc ces coffrets, reprit Dominic allant droit au fait, sont trop lourds pour moi. Cela me gâche complètement mon voyage. Je suis éreinté. Je vous donnerai la moitié de ce qu'il y a là-dedans si vous me portez mon barda, et moi avec.

– Jusqu'où? demanda Elijah.

– Jusqu'où? répéta Dominic. Voilà une bonne question. Jusqu'où? Et si nous faisions route ensemble pendant quelque temps pour nous rendre assez loin?…

– Voyons la marchandise, dit l'âne.

Dominic ouvrit les coffres et le sac.

– Tope-la, déclara l'âne trop abasourdi pour en dire plus long.

L'accord conclu, Dominic mangea un sandwich pendant qu'Elijah broutait dans le trèfle. Puis Dominic arrima ses bagages sur la croupe de l'âne et, d'un bond, sauta à califourchon devant le chargement.

Ils commencèrent alors à redescendre la colline.

«Comme c'est plus facile d'aller à dos d'âne que de marcher! songeait Dominic. Quel luxe! Je ne fais rien et pourtant je vais de l'avant et toutes mes affaires avec moi.»

Dominic n'était nullement paresseux, loin

de là, mais il s'était exténué en portant cette charge qui représentait tant de fois son propre poids.

— Dites-moi, Elijah, fit-il, avez-vous jamais rencontré le gang des Affreux?

— Si je l'ai rencontré? Et comment! répondit Elijah. Ils ont même essayé de m'embringuer dans leur bande. Et devinez pourquoi? Pour pouvoir me chevaucher à travers tout le pays en faisant leurs mauvais coups! Mais, j'ai beau être un âne, je ne suis pas idiot. Et comme j'ai refusé de me joindre à eux, ils m'ont fait passer de sales moments, vous pouvez me croire. J'ai des cicatrices ici et là pour le prouver. Quant à eux, ils ont sûrement gardé le souvenir de quelques bons coups de sabots décochés par votre serviteur.

Dominic, confortablement perché sur le dos d'Elijah, lui raconta ses mésaventures avec la sinistre bande.

— Vous pouvez être sûr qu'on va entendre parler d'eux d'ici peu, dit Elijah.

Et en effet, quelque temps plus tard, ils parvinrent à un arbre sur lequel une pancarte était fixée à l'aide d'un pieu.

Un mauvais dessin représentant Dominic ainsi qu'un message y figuraient.

RECHERCHÉ MORT OU VIF
PAR LE GANG DES AFFREUX
POUR AVOIR PRIS UN TRÉSOR
QUI N'ÉTAIT PAS À LUI...
DOMINIC, MÉFIE-TOI.

Dominic, furieux, déchira la pancarte. Elijah la piétina de ses robustes sabots.

– Qu'ils essaient de nous voler notre trésor! s'exclama-t-il.

Ils se trouvaient maintenant en terrain accidenté.

Tandis qu'ils progressaient en serpentant aux flancs de la colline, Elijah se plaignit de la raideur de la pente. Les descentes même étaient malaisées car il était contraint de prendre d'étranges positions, les pattes arrière pliées et celles de devant raides.

– Mon Dieu que ce chargement est lourd! ne cessait-il de gémir.

Au bout d'un certain temps, même sur les parties horizontales du chemin, il se plaignait toujours.

Sans compter que Dominic qui s'agitait constamment ajoutait encore à son inconfort.

– Dominic, dit enfin Elijah, faisons un nouveau marché. Diminuez ma part du trésor. Déduisez ce que vous me donnez pour vous porter et marchez à côté de moi.

Dominic sauta à terre.

– Comme vous voudrez, dit-il.

En fait, enchanté de se retrouver sur ses pattes après un long repos, il se mit à gambader autour d'Elijah, à batifoler joyeusement de-ci, de-là.

Bientôt ils parvinrent à un champ de luzerne. Elijah y piétina allégrement et avec tout son chargement sur son dos se mit à brouter.

– Vous savez Dominic, dit-il, je suis un âne paresseux. Je dois l'avouer. Je n'étais pas fait pour porter des fardeaux, et je n'ai aucune envie de devenir un riche seigneur. Comme cette luzerne est délicieuse ! Si vous m'enleviez tous ces colis de mon dos et que nous annulions notre marché ?

Dominic comprit Elijah : lui non plus n'aimait pas plier sous le faix.

– D'accord, Elijah, dit-il, comme vous voudrez.

Il fouilla dans l'un des coffrets, y choisit deux des plus beaux colliers de diamants et les accrocha aux oreilles de l'âne.

Puis il hissa d'un coup de reins ses bagages sur son dos, souhaita bonne chance au sagace Elijah et se remit en route. Orné de diamants, Elijah continua à brouter. Il était bien décidé à séjourner auprès de ce champ de luzerne aussi longtemps qu'il faudrait pour le manger dans sa totalité, sans pour autant se priver de rêvasser ou de contempler à loisir la voûte étoilée.

9

Une fois de plus, après une marche brève mais pénible sous le poids de son trésor, Dominic se délesta de son chargement et s'étendit pour se reposer. Tout d'abord il s'allongea sur le côté, puis sur le dos, position dans laquelle il ne voyait que ses pattes et le ciel, enfin sur le ventre avec le museau dans l'herbe fraîche.

Et soudain il se figea. Les yeux écarquillés, les oreilles dressées. Une tête venait de pousser à une grosse pierre posée juste devant lui! Dominic se ressaisit.

– Bonjour, monsieur, dit-il avec respect.

– Bonjour, dit la tortue. Tu en as des trucs et des machins!

Dominic se laissa rouler sur le dos et mit les pattes sous sa tête.

— Je parie que vous ne devinerez pas ce qu'il y a dans ces coffres, lança-t-il.

— Tes affaires, répondit la tortue.

— Mes affaires, oui c'est entendu, reprit Dominic, mais *quelles* affaires ?

— Des vêtements, des casseroles, de la vaisselle, du bric-à-brac, des choses comme ça.

— Et quoi encore ?

— Des marchandises à vendre au marché, dit la tortue. Des clous, des pitons, des punaises, des tambours à broder, des aiguilles à repriser.

— Zéro, répliqua Dominic, souriant. Continuez.

— Les outils de ta profession, dit la tortue.
Des pinceaux et des pots si tu es peintre ; des
marteaux, des clous, des pinces, des tourne-
vis si tu es menuisier.

— Allez-y toujours…

— Je sais, déclara la tortue en riant. Tu es
le Sultan de Shizzam, le prince le plus riche
de l'univers et ces coffrets sont pleins à ras
bord d'or et de diamants.

Ce fut à Dominic de rire. Il ouvrit tout
grand les deux coffrets et la tortue, s'attendant à découvrir un contenu banal ou du
moins sortant à peine de l'ordinaire, faillit en
tomber à la renverse de saisissement. Com-
prenant tout à coup combien elle avait eu
tort quand elle croyait avoir raison et combien elle avait eu raison quand elle croyait
avoir tort, elle se tordit littéralement de rire
à l'intérieur de sa carapace, tandis que Dominic la regardait, fier et satisfait, son béret
de marin penché sur l'oreille.

— Mes aïeux! s'exclama la tortue, comment as-tu récolté tout ça?

Dominic s'assit, soupira, et raconta toute

son histoire, y compris les épisodes concernant le gang des Affreux.

— Oh! je les connais bien, dit la tortue. Tout le monde dans la région les connaît. Mais personnellement, ils ne me dérangent pas. S'ils rappliquent, je rentre dans ma carapace. Ils peuvent taper dessus autant qu'ils veulent, je m'en moque. Qu'ils me retournent, je reste sur le dos. Au bout d'un moment, voyant que rien ne se passe, ils en ont assez et s'en vont. Tôt ou tard on finit toujours par m'aider. Je me retrouve dans le bon sens et je repars à mes affaires. Dommage que tu n'aies pas une carapace comme moi.

Dominic ne comprenait pas le point de vue de la tortue. S'il avait possédé une carapace, il ne se serait pas caché dedans. Chaque fois qu'il y avait du grabuge en perspective, sa philosophie consistait à prendre les devants pour passer à l'action sans délai. Et que d'autres eussent une réaction différente l'étonnait. Il commença par se présenter:

— Je m'appelle Dominic, et vous?

— Lemuel Kangourou. Drôle de nom

pour une tortue, n'est-ce pas? Ça remonte à plusieurs générations dans ma famille et chaque génération atteint un siècle.

— Et quel âge avez-vous? demanda Dominic.

— Deux cent cinquante-huit ans.

— Oh là là! s'écria Dominic. Pas possible! Quelle longévité!

— Pas pour une tortue.

En vérité Lemuel n'avait que cent cinquante-huit ans, mais c'était une habitude chez lui d'exagérer pour impressionner son auditoire. Comme Dominic avait tout juste un an et demi et se considérait déjà comme adulte, il ne lui était pas facile de considérer comme jeune tout âge dépassant le sien.

— J'ai une proposition à vous faire, dit-il, changeant de sujet. Avez-vous envie de devenir une tortue riche? Une tortue richissime? Il vous suffit de porter mon trésor pour moi et nous partagerons moitié moitié.

— Jusqu'où veux-tu aller?

— Assez loin, répondit Dominic. Et si ma compagnie vous plaît, nous pourrons ensuite rester ensemble.

— D'accord, dit la tortue. Allons-y.

Dominic attacha solidement les coffrets et le sac sur le dos de la tortue et ils partirent côte à côte.

Mais au bout de quelques secondes, Dominic était déjà loin sur la route et la tor-

tue avait à peine bougé. Dominic revint en arrière en courant.

— Qu'est-ce qui ne va pas? demanda-t-il.

— Rien, répondit Lemuel.

— Alors, allons plus vite.

— C'est ma vitesse habituelle, dit Lemuel. Peut-être le poids me ralentit un peu. Je ne sais pas trop. Il faudrait que je réfléchisse. En général, je parcours à peu près huit cents mètres en une journée.

Dominic, lui, pouvait franchir la même distance en une minute.

— Pas étonnant que vous viviez si vieille, dit-il. Sinon, vous n'arriveriez jamais nulle part.

Il essaya de marcher à petits pas à côté de la tortue mais il ne parvenait pas à progresser aussi lentement. Alors il décida d'explorer les environs pendant que Lemuel gagnait centimètre après centimètre sur la route. Il découvrit une cascade merveilleuse et s'y plongea cinq ou six fois d'affilée.

Puis il rencontra des chevaux qui fauchaient un champ. Il les regarda travailler et discuta avec eux d'un certain nombre de sujets, y compris du temps et du régime végétarien. Et lorsqu'il regagna la route en courant, Lemuel semblait n'avoir pratiquement pas changé de place.

— Tu sais, lui dit Lemuel, il se peut que le poids me ralentisse un peu. Moi, ça ne me dérange pas mais pour toi c'est une autre affaire. Tu es trop remuant. Pourtant j'ai une idée : attache tes bagages sur ton dos. Et ensuite monte sur le mien. Comme ça, ce sera plus facile pour tous les deux. Tu transporteras tes affaires en te reposant ; et moi je n'aurai que toi à porter.

Dominic ne demandait qu'à essayer cette combinaison, ce qui fut fait aussitôt. Mais Lemuel déclara que c'était pire, ce qui était à prévoir, car Dominic ne supportait pas de rester à ne rien faire en se déplaçant à une allure aussi exaspérante.

Chevaucher Elijah Jambonot était tout différent et Dominic sentait sa bonne humeur s'altérer d'instant en instant.

Finalement il bafouilla :

— Écoutez, Lemuel, je n'en peux plus. Je sais que vous êtes une jeune tortue athlétique, en pleine forme. Vous êtes peut-être même la tortue la plus rapide du pays mais votre lenteur me rend fou. Notre accord ne donne pas du tout les résultats que j'espérais. Ça ne vous ennuierait pas qu'on en reste là ?

Cela n'ennuyait nullement Lemuel qui ne tenait pas particulièrement à marcher, surtout avec une charge pesante sur le dos. Parfois, il passait des journées entières dans un coin sans bouger, sans penser à rien, sans se poser aucune question, en se contentant d'exister.

Dominic donna à Lemuel quelques pièces d'or et un rubis monté en bague que la tortue rangea quelque part au fond de sa coquille. Puis il fit ses adieux à Lemuel en l'embrassant sur le sommet de sa tête osseuse, hissa son fardeau en travers de ses épaules et s'en alla. Il se sentait un besoin irrépressible de liberté après avoir subi la lenteur impossible de la tortue. Le poids n'était plus rien pour lui — un ballot de duvet, un sac de fétus.

Au bout d'un moment, bien entendu, il sentit à nouveau sur son dos tout le poids du trésor.

Ce soir-là, il s'endormit comme une souche. Une souche tiède et soupirante.

10

Dominic s'éveilla au matin un sourire ravi sur le visage. Le doux rayonnement d'un soleil doré imprégnait l'air et les petits oiseaux chantaient si lyriquement qu'il sortit son piccolo d'or et se joignit à leur concert. Le monde baignait dans la paix et le bien-être. Dominic se mit à danser dans l'herbe puis, débordant d'allégresse, il projeta sa lance vers le ciel où le soleil du matin la colora fugitivement de rose. Pour son petit-déjeuner, il mangea le dernier de ses biscuits, se lava en se roulant dans la rosée, et se remit une fois de plus en route avec sa charge sur le dos.

Bientôt il rencontra un sanglier en larmes.

— Pourquoi pleurez-vous ? lui demanda Dominic.

— Oh ! J'ai une telle malchance, une si grande malchance, gémit le pauvre sanglier. C'est une longue histoire...

— Racontez-la-moi, proposa Dominic.

— Eh bien, pour être bref, commença le sanglier, je suis amoureux. Jamais je n'ai été aussi amoureux de ma vie. Oh, elle est mer-

veilleuse! Quelles soies incomparables! Quelles
dents de neige! Quels yeux marron pleins de
feu! Quelle grâce dans les mouvements!
Enfin, pour ne pas trop m'étendre sur le
sujet, nous allons nous marier. C'est-à-dire
que nous devions nous marier. Maintenant je
ne sais plus… Pendant deux ans j'ai fait des
économies pour le mariage et notre voyage
de noces, et pour la construction de notre
maison. Nous avons décidé de renoncer à la
sauvagerie et de devenir civilisés. Oh!
comme nous étions heureux à faire des pro-
jets d'avenir! Dans une semaine, la cérémonie devait avoir lieu. Tout mon argent était
caché dans une grotte où j'étais sûr que personne ne pouvait le trouver. Personne ne
connaissait l'endroit, du moins c'est ce que je
pensais. Ce matin, je suis allé là-bas pour
compter l'argent. Vous aimez compter
l'argent? Je…

Sur ces paroles, submergé de chagrin et
d'amertume, le sanglier se remit à sangloter.
Et il frappa le sol à plusieurs reprises pour
exprimer la force de ses sentiments. Domi-

nic, désolé pour lui, ne put retenir ses larmes.

Après un moment toutefois le sanglier put reprendre son récit :

— Je disais donc que j'avais commencé à compter mon argent. Je l'avais là devant moi et je rêvais de ma bien-aimée et de la jolie maison que nous partagerions. Une maison près d'un ruisseau avec un jardin fleuri, un bassin pour les oiseaux... Vous aimez les oiseaux ?

Dominic inclina la tête.

— Il y aurait un billard dans la chambre de jeux... J'adore le billard, figurez-vous... Comme je le disais... Voyons, qu'est-ce que je disais ? Ah oui, tout à coup me voilà entouré par ce gang des Affreux. Ils me

sautent dessus et se mettent à me cogner avec des bâtons et des pierres. Je me battais comme un tigre, mais ils étaient trop nombreux. Alors ils m'ont attaché et sont partis avec mon argent. Il m'a fallu deux bonnes heures pour ronger les cordes. J'étais en route pour aller retrouver ma fiancée mais je me suis effondré en pleurant ici même où vous m'avez trouvé.

Et le sanglier émit un sanglot isolé, le dernier. Il avait réussi à maîtriser son chagrin.

Dominic se sentait déborder d'indignation contre les criminels et de compassion pour le sanglier dépouillé.

– Je crois que le destin m'a mis sur votre route, déclara-t-il. Vous aurez votre mariage et votre lune de miel et votre maison avec tout son mobilier et en plus des réserves en cas d'ennui sérieux.

Et dans un élan spontané de générosité, il vida ses deux coffres dans l'herbe, empila une partie de leur contenu devant le sanglier qui, bouche bée, révélait ses défenses dans toute leur longueur.

Dominic pêcha quelques pièces d'or dans le sac et les ajouta à la pile. Le sanglier était incapable de parler. Dominic choisit alors un superbe anneau de nez fait d'émeraudes et d'améthystes et lui dit:

— Que diriez-vous de cette babiole comme anneau de mariage pour votre fiancée?

Le sanglier se remit à pleurer. Non de désespoir cette fois mais d'excès de bonheur.

— Mais comment pourrais-je jamais en ce bas monde, sans parler de l'autre ni des imprévisibles contingences, vous remercier assez? s'écria-t-il. Je ne suis même pas capable de trouver les premiers mots du début du commencement de la déclaration par laquelle je voudrais vous dire combien vous me rendez incommensurablement heureux... Je vais essayer...

— Ça ne fait rien, interrompit Dominic, je sais ce que vous ressentez.

«Ce sanglier, pensait-il, met vraiment trop longtemps à exprimer ce qu'il a à dire.»

— Il faut que vous veniez à mon mariage, dit le sanglier. Souvenez-vous de la date. Aujourd'hui en huit. Vous demanderez Barney Swain, c'est mon nom. Tous les gens me connaissent dans la région et seront au courant du mariage.

— Je m'appelle Dominic, dit Dominic. Et je viendrai sûrement si je me trouve dans les parages.

Il avait donné au sanglier une si grande part de son trésor qu'elle emplissait l'un des coffres.

Ils ramassèrent les pierres précieuses, l'or et les perles restés dans l'herbe et les rangèrent avec soin dans l'autre coffre.

Tandis que cette scène se déroulait, les petits yeux ronds de deux rats utilisés comme espions par la bande des Affreux les observaient à travers les buissons. Mais Dominic ne sentit pas leur présence, car le vent soufflait dans le mauvais sens.

11

Dominic et Barney Swain se firent leurs adieux. Le sanglier partit avec le coffre sur l'épaule pour aller annoncer les nouvelles à sa fiancée, les bonnes représentées par le cadeau de Dominic, et les mauvaises à propos du vol de son argent par la bande des Affreux; nouvelles qui n'étaient plus si mauvaises, étant donné les bonnes. Il allait donc commencer par les mauvaises en sorte que les bonnes, lorsqu'il y viendrait ensuite, n'en paraîtraient que plus réjouissantes. Mais, réflexion faite, il ne voulait lui faire aucune peine, même légère. Il résolut donc d'ouvrir simplement le coffre, de lui montrer ce qu'il y avait dedans et ensuite de tout expliquer de son mieux en s'efforçant d'écourter une histoire trop longue.

Et Dominic repartit d'un pas beaucoup plus alerte et léger, avec un coffre de moins à porter. Où allait-il? Il n'en savait trop rien. Mais il le découvrirait bien en route.

À un détour du chemin, il tomba sur un animal prostré sur le sol, secoué de sanglots et s'arrachant les poils. Cet animal portait des lunettes noires, un chapeau à large bord et une cape qui lui tombait jusqu'aux chevilles.

— Pourquoi pleurez-vous? demanda Dominic, feignant d'être touché.

Il savait déjà qui se cachait sous cette défroque.

— Ah! Pauvre de moi! dit l'animal. Pauvre de moi! Vous voyez devant vous l'un des êtres les plus malheureux, les plus déshérités de la planète. Ce matin, ce matin même, une si belle matinée comme vous devez vous en souvenir, j'étais riche comme Crésus mais maintenant je suis pauvre comme Job. Et justement j'allais me marier avec l'une des plus jolies femelles de la création. Mais ce gang des Affreux — vous en avez sûrement entendu parler — m'a dérobé tout mon argent.

Dominic ne s'en était pas laissé conter. Sous son déguisement il avait tout de suite dépisté le renard qui avait oublié la précision et la sensibilité de ce précieux instrument: le nez de Dominic. Dominic aurait détecté l'odeur rien qu'en reniflant un objet quelconque tout juste effleuré par le renard un an plus tôt. Comment dans ces conditions aurait-il pu ne pas reconnaître le renard en personne, le renard même qui l'avait fait tomber dans le trou, qui l'avait attaqué après qu'il eut enterré M. Blaireau?

— Oh, pauvre créature! dit Dominic en déposant son chargement et en décrochant son baluchon de sa lance. Pauvre malheureux, indigent, pitoyable, misérable… mauvais, rusé, cruel, coquin de renard! Dis tes prières, criminel, tu vas payer pour tes forfaits! J'ai un sérieux compte à régler avec toi!

L'infâme renard ne s'était pas armé et il connaissait bien la lance de Dominic et sa

dextérité à la manier. Glapissant de peur, il fila comme une flèche, Dominic à ses trousses, l'arme brandie.

Mais le renard put s'échapper. Dominic évita de le pourchasser trop loin, craignant qu'un autre (ou plusieurs) membres de la bande lui volât son trésor resté sans protection. Revenu sur ses pas, il huma l'air avec soin en s'assurant qu'il n'y avait dans les environs que des insectes et des oiseaux, résidents habituels des lieux ; puis il reprit son chemin.

La route suivait maintenant une sorte de fossé au fond duquel Dominic découvrit la cage thoracique d'un gros animal qui avait dû mourir là quelque temps plus tôt. C'était comme un repas de fête servi à son intention et il mourait en plus d'inanition. En dépit de leur âge, les côtes lui parurent savoureuses.

En fait, le temps leur avait ajouté un riche fumet faisandé que seul un véritable connaisseur d'os pouvait vraiment apprécier. Dominic s'en donna à cœur joie. Tandis que ces os savoureux retenaient toute son attention, le renard qu'il venait de mettre en déroute, plus deux autres membres de la bande des Affreux, un autre renard et un putois, s'étaient concertés pour l'attaquer par-derrière. Dominic, au creux de la cage thoracique, s'y trouvait comme dans une prison où les autres auraient pu aisément le prendre au piège, mais lorsqu'ils le virent broyant ces os énormes avec une telle voracité ils furent paralysés de terreur.

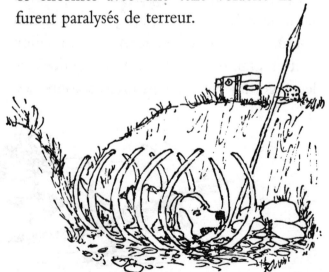

— Ce chien, réussit à chuchoter le putois, la gorge sèche, est un monstre terrifiant pour avoir tué un animal aussi gigantesque!

— Oui, dit le renard. Et il a peut-être encore faim. Je ne me rendais pas compte des risques que nous courions. Il faut être beaucoup plus de quatre ou de cinq pour le réduire à l'impuissance.

— Et comment! approuva le second renard. Et comment donc!

Et là-dessus, ils s'éloignèrent sur la pointe des pattes, veillant à ne pas faire craquer la moindre brindille, à ne pas buter dans le plus petit caillou, bref, à éviter le plus léger bruit qui pût distraire Dominic de son festin d'os.

12

Lorsque Dominic eut mangé tout son saoul, il se coucha. Quelques grattements, une douzaine de bâillements, une courte sieste et une fois de plus il repartit. Bientôt il atteignit une grande pinède dont le parfum épicé lui parut vivifiant. Puis, non loin de lui, à la haute branche d'un hickory, il vit avec stupeur une oie pendue par les pattes et se précipita vers elle.

Debout sur le coffre de son trésor, il parvint à couper de sa lance le nœud de la corde et à faire tomber l'oie.

— Miséricorde! s'écria-t-elle. Il y a des sels dans mon sac à main...

Et battant des ailes, elle s'évanouit. Dominic parvint à la faire revenir à elle en lui faisant respirer les sels. Elle promena alors autour d'elle un regard éperdu.

– Oh! Chien de mon cœur, mon chien chéri! s'exclama-t-elle. Je me croyais déjà morte! Rendez-vous compte! Mais rendez-vous compte! Être pendue, être pendue par les pieds en m'en allant au marché! Moi, une veuve avec cinq enfants à élever!

– Qu'est-ce qui s'est passé? demanda Dominic.

– Je me rendais au marché, expliqua l'oie d'une voix frémissante, nous avons besoin de tant de choses à la maison: du savon, de la farine, du sucre... Mon thé est pratiquement fini; il n'en reste que quelques feuilles au fond de la boîte. Et puis, je pensais acheter des gâteaux pour les enfants – des crottes en chocolat ou des fourrés à la noix de coco –, de la confiture de groseilles, et aussi des oranges... Mais ces quatre – je crois bien qu'ils étaient quatre – coquins masqués, cachés derrière les arbres, m'ont sauté dessus et en un rien de temps j'étais pendue là-haut comme vous m'avez trouvée. J'en ai entendu un dire : «On va la faire rôtir ce soir quand on aura ramassé les airelles», puis ils ont disparu. Me rôtir, rien que ça ! Je me demande s'ils aimeraient qu'on les rôtisse eux, avec ou sans airelles ! Comme si je n'avais rien de mieux à faire dans l'existence ! Combien de temps je suis restée là, pendue, je n'en sais rien. Je me suis évanouie et je suis revenue à moi plusieurs fois. Je pensais au plaisir que j'avais à nager, voler, marcher avec mes chers petits. Je me disais combien je les aimais, comme ils avaient besoin de moi et je ne voulais pas mourir. Seigneur Jésus ! Si vous n'étiez pas arrivé à temps, il y aurait eu bientôt une oie de moins au monde ! Comment pourrais-je jamais vous prouver ma reconnaissance ?

— Vous avez la vie sauve, voilà ma récompense, déclara Dominic en s'inclinant devant elle. Je suis certain, ajouta-t-il, que si vous êtes encore de ce monde, eh bien, c'est un monde meilleur ! Je m'appelle Dominic et je suis tout à votre service, madame.

Dominic était toujours très galant avec les dames.

L'oie, sensible à ce raffinement de courtoisie, fit une gracieuse révérence.

– Mon nom, dit-elle, est Matilda Renard. J'habite tout près d'ici. Au cas où cela vous intéresserait de savoir comment une oie peut s'appeler Renard, j'avais un ancêtre très intelligent. Si intelligent qu'on l'avait baptisé Renard. Ensuite, ce nom a été enregistré au service de l'état civil et il est devenu celui de notre famille. Je crois que l'un de mes fils le mérite déjà bien.

– Très intéressant, dit Dominic avec politesse. Puis-je vous reconduire chez vous ?

– J'en serai ravie, répondit l'oie. C'est par ici.

Elle ramassa son sac et son cabas. Dominic reprit sa charge et ils se mirent en route, marchant et se dandinant côte à côte.

Bientôt ils parvinrent au cottage de l'oie, situé près d'un étang dans un coin écarté.

Cinq oisons nageaient sur l'étang, babillant et jacassant avec bruit, comme font souvent les enfants. Mme Renard les rappela sur la rive et les présenta un par un à Dominic. Ils s'appelaient Alpha, Bêta, Gamma, Delta, et Epsilon.

Dominic se montra enchanté de les connaître. Il s'attendrissait sur les bébés animaux de toute sorte, même les serpenteaux, espèce qui par ailleurs ne lui inspirait que méfiance.

Dominic se répandit en propos élogieux sur la maison de Mme Renard et sur sa famille. Elle le pressa de rester chez elle aussi longtemps qu'il le désirait. Il ne se le fit pas répéter deux fois. Il resta.

Il jouait avec les enfants, poursuivait d'instructives et divertissantes conversations avec leur mère. Les petits aimaient l'écouter jouer du piccolo, surtout en nageant. De temps en temps, ils se livraient à une sorte de danse aquatique, à un menuet liquide, au rythme de sa musique. Un jour, pendant une partie de water-polo les oisons se mirent à tourbillonner autour de lui et Dominic resta stupéfait en se voyant débordé par d'aussi petites créatures. Mais il se dit: «Si on jouait au water-polo sur la terre ferme, c'est sûrement moi qui les battrais.»

Mme Renard engraissait Dominic de

quantité de mets délicats: soupes exquises, salades parfumées, pâtisseries célestes et une foule de recettes dans lesquelles entraient d'odorants aromates et de sauces subtiles. Il se complaisait à renifler les ingrédients, jouant à «deviner» la composition des plats et, naturellement, il ne se trompait jamais.

Après ces merveilleux repas, il s'étendait pour rêvasser dans le hamac ou il s'asseyait près de l'étang avec Mme Renard, surveillant les enfants et bavardant. Les sujets de conversation ne leur manquaient pas. Mme Renard lui parlait de feu son mari – qui avait, semblait-il, été un jars exceptionnel –, des problèmes de l'éducation d'enfants, privés de père. Dominic évoquait sa maison, ses amis, sa soif d'aventures et sa connaissance de la vie. Un jour, il demanda à Mme Renard ce qu'elle préférait: marcher, nager ou voler. Et voici quelle fut sa réponse:

– Je sais que la plupart des créatures ne peuvent pas faire les trois et j'espère que vous me pardonnerez de dire que je ne comprends

pas comment elles peuvent supporter ça. Personnellement, je ne voudrais renoncer à aucun moyen de locomotion, par air, par eau ou par terre. Les trois sont nécessaires. Comme je passe le plus clair de mon temps sur le sol, il faut bien entendu que je sache marcher. Cela n'aurait aucun sens de voler entre la glacière et l'évier ; et savoir nager ne sert à rien s'il n'y a pas d'eau. Marcher, c'est très bon pour réfléchir. Et différentes façons de marcher conviennent à différentes formes de réflexion. Par exemple, aller et venir dans un petit espace est excellent pour penser à ses soucis. Parfois la marche est pénible pour les pattes. Certaines variétés de gravier me font très mal aux palmes entre les doigts et je dois éviter avec soin certains endroits pour cette raison. J'aime jouer au tennis, ce qui n'est bien sûr possible que sur les pattes. J'aime jardiner aussi, cueillir des fleurs, faire un tas d'autres choses qui ne peuvent se faire que sur terre. L'eau c'est très agréable, même quand il fait froid, et nager, comme vous le savez, est pour moi un grand plaisir. C'est

une façon bien commode de traverser une rivière quand il n'y a pas de pont. Voler en est une autre ! Mais je ne peux pas voler quand je suis chargée d'objets, ce qui m'arrive très souvent – mon sac, mon parapluie, mon cabas, les livres de la bibliothèque, etc. Je ne pourrais pas décoller du sol.

– Bien sûr, approuva Dominic, compréhensif.

Mme Renard reprit la parole :

– Pour réfléchir, la nage ne vaut pas la marche, mais c'est épatant si l'on ne veut penser à rien. J'adore flotter le long du courant, écouter le clapotis de l'eau contre la rive, aller au fil de mes rêves. C'est si reposant. Quand je me sens les nerfs en pelote, rongée de soucis, déprimée, irritable, où que je sois, je me mets à la recherche d'un endroit avec de l'eau où je puisse nager. C'est comme un baume... comme de se retrouver dans l'œuf, flottant béat dans l'albumen moelleux. Et en plus, on en sort plus propre. Pour ce qui est du vol, c'est une sensation difficile à décrire à quelqu'un qui n'a pas d'ailes.

– Quelquefois, je rêve que je vole, fit remarquer Dominic.

— Voler, c'est un pur délice, reprit Mme Renard. À moins qu'on soit pourchassé par des oiseaux de proie. Il y a un rythme à trouver pour voler, et c'est le rythme de l'univers. C'est une expérience cosmique. Là-haut, et spécialement à grande hauteur, je me sens près de mon Créateur. J'ai la conviction que la vie est éternelle et que je reverrai sûrement mon mari, Dieu ait son âme. Quand je flotte sur les ailes du vent, que je m'élève avec les courants ascendants, que je glisse dans les trous d'air, je suis en parfaite harmonie avec les phénomènes de la nature. Je me sens à la fois athlétique et légère. Voler est évidemment le moyen le plus rapide et le plus direct pour aller d'un point à un autre sans obstacle qui vous contraigne à monter, descendre ou obliquer. C'est la meilleure façon d'aller vers le sud en hiver et vers le nord au printemps. Et pour survoler largement les problèmes, c'est l'idéal. Enfin, pour répondre à votre question originelle, je ne pourrais vraiment pas vous dire ce que je préfère du vol, de la nage ou de la marche. Les trois façons de se déplacer sont parfaites, chacune en son genre.

Dominic comprit et dut en convenir, encore qu'il ne sût pas nager aussi bien qu'une oie et qu'il fût incapable de voler autrement qu'en rêve.

Toujours est-il qu'au bout de trois jours, pour être précis, il commença à avoir des démangeaisons, à s'agiter, impatient de reprendre son voyage et d'aller vers son destin. Avant de partir, il édifia une haute clôture de fort grillage autour de la propriété des Renard avec au sommet une rangée de fil de fer barbelé. Et après mûre réflexion il se remplit les poches de pièces d'or et choisit une bague à garder sur lui. Il plaça ensuite un collier de perles au cou de chacun des oisons qui se mirent à pousser des coin-coin de ravissement et il donna tout le reste de son trésor à Mme Renard.

— Mais je ne peux pas accepter une offre aussi généreuse, protesta-t-elle. Vous êtes trop bon : c'est moi qui suis votre débitrice.

Vous m'avez sauvé la vie. Songez à ce que seraient devenus mes enfants sans vous.

Elle allait poursuivre sur ce thème mais Dominic l'interrompit.

– Madame, dit-il, Matilda, si vous me permettez de vous appeler par votre prénom, j'ai passé quelques-unes des plus heureuses journées de mon existence dans votre petit paradis. J'ai été ravi de connaître vos enfants. Mes conversations avec vous m'ont ouvert de nouveaux horizons. Grâce à vos bons soins, je ne me suis jamais si bien porté. En outre, je n'ai aucun besoin réel de richesses. Je suis jeune, libre et Dieu m'a donné un nez sans pareil pour me guider dans la vie. Je vous en prie, ne dites plus rien.

Bouleversé par sa propre munificence et par la tristesse de la séparation, la larme à l'œil, il embrassa chacun des oisons chéris, étreignit Mme Renard en échangeant avec elle un long baiser et repartit dans le vaste monde sans plus de façons.

Quelques instants plus tard Mme Renard vint le rejoindre en volant avec des gâteaux à ranger dans son baluchon, et encore une fois ils se firent des adieux émus.

Marchant d'un bon pas, Dominic, débordant d'une énergie accumulée à se reposer et à se laisser choyer comme un coq en pâte, se sentait merveilleusement insouciant. Il avait apporté la chance et le bonheur aux Renard et gagné leur gratitude tout en se débarrassant d'un encombrant fardeau.

13

Dominic débordait à tel point d'allégresse qu'il sortit son piccolo et se mit à jouer *allegro tempo*.

Comme tout lui semblait délicieux! Il se sentait rempli d'adoration pour le monde visible. Ah, qu'il était splendide, ce buisson de roses rouges sur le chemin! Il s'arrêta pour renifler le parfum des fleurs mais ne sentit rien et bing! se heurta à la toile d'un tableau.

L'artiste, une minuscule souris, se roulait par terre de rire. Dominic s'assit et toucha la toile. Il avait l'impression qu'il lui suffisait de tendre la patte pour cueillir une rose et pourtant, ce n'était que peinture et toile. Éberlué, il regarda la souris.

La petite créature avait du bleu de cobalt sur la moustache, du jaune de cadmium sur une patte et du vert végétal sur le fond de sa salopette.

— C'est vous qui avez peint ça ? demanda Dominic.

— Mais oui, déclara la souris avec une fierté manifeste.

— Vous êtes une très habile artiste, dit Dominic. J'ai été complètement mystifié.

Mais pourquoi avoir mis votre tableau au milieu de la route ?

— Permettez-moi de me présenter, dit la souris. Je m'appelle Manfred Lion. Joli nom pour une souris, vous ne trouvez pas ?

— Et moi, c'est Dominic, dit Dominic.

Ils se serrèrent la patte et Dominic put apprécier la délicatesse du toucher de Manfred Lion.

— Pour répondre à votre question, reprit la souris, j'adore peindre et particulièrement dans ce style en trompe-l'œil. Tout est si beau dans la nature que je lui rends hommage en peignant les choses telles qu'elles sont. Certains de mes pinceaux n'ont qu'un poil que je m'arrache aux sourcils et, avec mes yeux perçants, je peux distinguer et peindre les plus infimes détails, chaque nervure dans chaque feuille, un reflet sur une goutte de rosée, les poils sur la patte d'un moustique Je connais les œuvres d'un très grand artiste, un éléphant, il est incapable de peindre les détails, il n'en a ni la capacité ni la patience. En tout cas, si j'ai posé mon tableau sur la route, c'est simplement pour comparer avec l'original, pour m'assurer que ma technique est aussi prodigieuse que je le crois.

— Elle l'est, je vous le garantis, dit Dominic. Je reconnais que ma vue est loin de valoir mon odorat, qui n'a pas son pareil, d'ailleurs. Mais enfin, jamais je n'avais été trompé par une peinture. Si on se fonde sur ce critère, alors vous êtes le plus grand artiste vivant.

Dominic avait peine à croire que ces propos ampoulés sortaient de sa propre bouche. Une fois surmonté son étonnement, il poursuivit :

— Mais où que je regarde, je vois la beauté. Si je peux admirer un joli paysage, tout aussi joli que s'il était peint par Manfred Lion, rien qu'en regardant par ma fenêtre pourquoi voudrais-je en posséder un traité dans ce style ? Il ressemble à ce que je vois de tous côtés.

— J'ai réfléchi à cette question, dit la souris, et voici ma réponse. Quand ce paysage est couvert de neige, pouvez-vous voir les feuilles? Au milieu d'un lugubre hiver, quand vous aspirez au retour du printemps, vous pouvez regarder les jonquilles sur l'un de mes tableaux et vous dire qu'il y a bien une saison qui s'appelle le printemps et qu'elle reviendra. Quand vous souffrez de la canicule en été, vous pouvez vous réconforter en contemplant un paysage hivernal peint par Manfred Lion. Vous pouvez garder une sorte de contact avec un ami ou un être cher absent grâce à un de mes portraits. Enfin… je n'aime pas faire des discours. Je préfère peindre plutôt que réfléchir. La peinture, ça m'amuse, la réflexion me fatigue les méninges.

La souris se gratta la base de la queue où elle laissa une trace de vermillon.

– J'ai compris votre idée, dit Dominic. Merci de cet exposé.

– Pourriez-vous m'aider à remettre ma toile en place? demanda la souris. D'habitude, je me sers de ces cordes passées sur cette poulie.

Et elle désigna la branche d'un arbre au-dessus d'elle. Dominic redressa le tableau et lui fit reprendre sa position initiale sans l'aide des cordes, puis l'étaya de derrière avec quelques piquets que lui désigna la souris.

— Allons, remettons-nous à notre bar-bouillage, plaisanta l'artiste en ramassant ses minuscules pinceaux.

Dominic se mit à rire.

— Et moi, je crois que je vais reprendre mon voyage, dit-il. Adieu.

Il partit avec sa lance sur l'épaule, son ballot oscillant au bout et ses pièces d'or tintant dans sa poche.

«Comment le monde pouvait-il bien tourner sans moi avant ma naissance? se demandait-il. On devait se rendre compte qu'il manquait un rouage.»

Après avoir cheminé un moment, il fut accosté par un important groupe de lapins. Ils étaient là, plantés sur la route, attendant de toute évidence qu'apparût cet individu particulier, lui, Dominic, et ils n'étaient pas peints sur une toile. Celui qui devait être leur porte-parole était trop timide pour remplir son rôle. Il fallut que les autres le poussent pour qu'il fît deux pas en avant et s'immobilisât, l'air gauche, la moustache frémissante. Dominic, avec sa spontanéité habituelle, se précipita droit sur le groupe, ce qui n'arrangea rien. Du coup, le porte-parole perdit l'usage de sa langue.

— Salut à vous tous, déclara Dominic. Si je ne me trompe, vous m'attendez et vous avez quelque chose à me dire?

Soudain, le lapin retrouva sa voix.

— Oh oui! bredouilla-t-il. Je voudrais bien faire une déclaration.

— Je vous écoute, dit Dominic.

— Vous êtes Dominic, dit le lapin. Votre réputation s'est répandue dans toute la contrée. Chacun sait comment vous avez mis en déroute le gang des Affreux. Nous connaissons tous votre courage et votre lance invincible. Ces coquins ne cessent de nous terroriser. Nous craignons pour nos vies et nos biens. Ils nous méprisent tellement qu'ils ont désigné seulement un furet et une hermine pour nous harceler. Ils en font des dégâts ces deux-là… Nous avons besoin de protection et nous aimerions que vous soyez notre protecteur. Nous pouvons payer.

Dominic fut à la fois touché et flatté de cette preuve de confiance dans la valeur de ses exploits.

Mais la pusillanimité des lapins le mettait mal à l'aise. En un sens, il respectait plus les Affreux que les lapins. Ces malandrins étaient parfois des lâches mais ils ne manquaient pas non plus de crânerie à l'occasion. Et il se surprit à proférer contre son gré un mensonge :

– Je suis désolé, dit-il, mais en dépit du désir que j'ai de vous aider, je suis déjà en retard pour un rendez-vous à vingt kilomètres d'ici.

Les lapins parurent si déçus que Dominic se sentit malgré lui pris de compassion.

– Attendez, dit-il, j'ai une idée. (Et il leur parla de Manfred Lion, l'artiste qu'il venait de rencontrer sur la route.) Demandez à M. Lion de peindre un tableau montrant quelques-uns d'entre vous broutant du trèfle. Installez un piège devant le tableau et cachez-vous dans les environs. Si la peinture de Manfred Lion a pu me tromper, elle trompera sûrement votre furet et votre hermine. Et quand vous les aurez pris au piège, vous pourrez en faire ce qui vous plaira. Je regrette de ne pouvoir rester pour juger du résultat. Bonne journée à vous tous.

— Vous ne voulez pas revenir sur votre décision? insista le porte-parole.

— Non.

— Nous sommes prêts à vous payer grassement, dit un autre lapin.

— Je regrette, dit Dominic.

— Alors nous allons essayer votre plan, dit le porte-parole. Merci de votre suggestion.

— Pas de quoi!

Et Dominic se remit en route sans attendre de voir si son plan était couronné de succès. Voici, en bref, ce qui se produisit: les lapins qui connaissaient déjà Manfred Lion le trouvèrent sans difficulté et lui offrirent une forte somme d'argent plus deux sacs de carottes pour peindre un tableau selon les suggestions de Dominic. Argent ou pas, l'artiste n'était que trop heureux de profiter de cette intéressante occasion d'éprouver son habileté et de voir les coquins en être les victimes. Après avoir fait des croquis de plusieurs lapins, il peignit le tableau en quelques jours,

travaillant même la nuit à la lumière d'une lampe à pétrole et de bougies. Le furet et l'hermine furent totalement abusés par le tableau. S'approchant en catimini de faux lapins broutant leur faux trèfle, et sans doute obnubilés par le succès assuré d'une attaque si facile d'apparence, ils ne remarquèrent pas l'étrange immobilité des lapins. Il y avait assez de pièges pour attraper des douzaines de victimes, aussi furent-ils inévitablement capturés. Les lapins couvrirent de chaînes le furet et l'hermine avant de les faire sortir de leurs pièges et les conduisirent dans un grenier qu'ils avaient transformé en prison pendant que la souris peignait. Timides créatures, par trop inoffensives, les lapins étaient incapables d'infliger un châtiment aux coupables. Ils voulaient amender le furet et l'hermine. Leur inculquer l'horreur du mal et, peu à peu, faire naître en eux des sentiments de pitié, de charité et d'amour. D'ailleurs ils ne leur avaient pas caché leur projet. Peut-être leur idée aurait-elle pu porter ses fruits, mais l'hermine et le furet étaient parfaitement insensibles à ces bonnes intentions. Ils pensaient que seule la peur expliquait l'indulgence qu'on leur témoignait, et aussitôt le soleil couché, dès que les lapins eurent achevé leurs sermons et les eurent laissés seuls, ils firent sauter cadenas et serrures et s'esquivèrent. Quelques jours plus tard devait leur échoir le sort qu'ils méritaient…

Manfred Lion apprit avec déception l'évasion, mais il était très satisfait de penser que son tableau avait servi la cause de la justice et s'estimait autorisé à se vanter à l'occasion de son exploit.

14

Au moment où ces deux criminels endurcis prenaient la fuite, Dominic se trouvait déjà loin sur la route sans que nul incident digne d'être relaté fût intervenu.

Un brillant clair de lune illuminait la nuit. Tout clair de lune crée un climat magique et envoûtant mais certaines nuits ainsi baignées de lumière vaporeuse nous remuent plus que d'autres et peuvent même légèrement nous tournebouler. Telle était donc cette nuit-là. Pour Dominic, bien que l'heure du repos fût venue pour lui, pas question de trouver le sommeil. Il ne se sentait nullement fatigué. La nuit et toutes les créatures relevant de son règne s'animaient, éveillées, ensorcelées par son mystère. Partout voletaient des lucioles. Dans les airs, il était difficile de les distinguer des étoiles, de dire où finissaient les unes et commençaient les autres. Dominic s'aventura dans un champ où il lui sembla voir de minuscules lanternes japonaises. Des souris donnaient un bal au clair de lune dans une

clairière cernée de hautes herbes et elles avaient accroché leurs lampions entre des tiges de graminées. Dominic, sous le charme, contemplait le tableau du haut d'un rocher. D'un ensemble de cithares, de luths et de tambourins miniatures s'élevait une frêle et noble musique souricière. Dominic sortit alors son piccolo et se mit à jouer doucement, très doucement. Les souris l'entendirent, mais ne se demandèrent pas d'où s'égrenaient ces notes flûtées. Elles étaient trop ensorcelées.

Cotillons et polkas se succédaient. Certaines des dames portaient des robes d'apparat et des plumes ornaient leurs têtes gracieuses. Leurs bijoux, des pierres pas plus grosses que des graines de pavot, scintillaient au clair de lune. Bien des hommes étaient ivres d'oko, breuvage fait de mil et de glands. Les participants de la fête semblaient plongés dans une extase grandissante et la musique donnait l'impression de s'approcher de plus en plus de la vérité essentielle des choses. Cette atmosphère irréelle jointe à la magie du clair de lune était trop pour l'âme débordante d'émotion de Dominic.

C'était plus fort que lui. Il leva la tête, tendit le cou et dans un long hurlement, plus éloquent que tout un discours, laissa monter vers l'infini le trop-plein d'amour et de désir qui le submergeait.

Cette explosion inattendue rompit brusquement le charme et sema la panique parmi les souris qui s'enfuirent, terrifiées, laissant la clairière vide sous la lune avec ses guirlandes de lanternes. Dominic était désolé d'avoir interrompu les réjouissances. Il se mit à marcher au milieu du champ, respirant l'odeur des marguerites, des mauves, des primevères, du trèfle rose. Puis il trouva gisant dans l'herbe un jouet en peluche et conclut, d'après son aspect, qu'il avait été perdu depuis déjà longtemps.

C'était un animal attendrissant, un petit chien avec de longues oreilles et des yeux faits de boutons de bottine dont l'un pendait de l'orbite au bout de son fil. L'odeur de ce chien en peluche l'intrigua. Elle exerçait sur lui un effet magique de la même façon que le clair de lune faisait naître en lui des aspirations vagues. Pour quelles raisons? Il n'en savait trop rien. Avec tendresse, il rangea le jouet dans son foulard et reprit sa promenade à travers champs. Finalement, dans un grand élan d'émotion il leva les yeux au ciel et déclara:

— Ô Vie! Je suis à toi. Quoi que tu réclames de moi, je suis prêt à te le donner.

Et de nouveau, il ne put s'empêcher de hurler. Il hurla, hurla, sans retenue, sans honte, sans réserve.

Ces hurlements s'étaient accumulés en lui depuis longtemps et il éprouvait un merveilleux soulagement à les exhaler dans toute leur plénitude. Il s'avança un peu plus loin dans la prairie. Et, à moins qu'il ne fût victime d'une hallucination sous l'effet hypnotique du clair de lune, que vit-il non loin de lui? Un somnambule — plus précisément une chèvre somnambule en chemise de nuit et bonnet de

même qui, debout, pattes avant tendues, semblait chercher son chemin à travers l'espace.

Dominic avait entendu dire qu'il ne fallait jamais éveiller un somnambule, sauf en cas d'urgence : par exemple, s'il était sur le point de sortir par une fenêtre ouverte ou de s'enfoncer dans un étang profond, d'entrer dans un feu, de marcher sur du verre cassé et ainsi de suite. Il se mit donc à cheminer sans bruit à côté de la chèvre parmi les herbes qui lui dépassaient les oreilles et, bien malgré lui, il dérangea deux hérissons qui se contaient fleurette au clair de lune et qui se mirent à pousser des cris d'indignation; ils franchirent ensuite une petite butte et pénétrèrent dans un bois – la chèvre toujours perdue dans sa léthargie –, puis traversèrent un taillis, débouchèrent à nouveau en terrain découvert, descendirent une pente et franchirent un ruisseau babillard semé de grosses pierres; enfin, Dominic en ayant assez de déambuler auprès d'un somnambule, il guida la chèvre vers un arbre qui lui opposa un obstacle inébranlable.

– Où suis-je? demanda la chèvre, serrant l'arbre entre ses pattes. Qu'est-ce que je fais ici?

– Vous êtes sur la planète Terre et vous embrassez un arbre au milieu d'un champ, au clair de lune, répondit Dominic. Et jamais l'on a rêvé nuit plus belle que celle-ci.

– Et qui êtes-vous? s'enquit la chèvre.

– Je m'appelle Dominic.

– Qui suis-je?

— Ça, je le sais, expliqua Dominic. Mes yeux, mes oreilles et mon nez me disent que vous êtes une chèvre.

— Une chèvre? Alors, je dois être Phineas Matterhorn. Je suis un peu perdue.

— Vous marchiez en dormant. Vous êtes somnambule, expliqua Dominic.

— Ah! dit Phineas, je suis somnambule, alors ça doit bien être moi. Dites-moi un peu, vais-je dans la direction de Grandville où Barney Swain et Pearl Sweeney doivent célébrer leur mariage?

— Vous avez marché dans tous les sens, alors de temps en temps vous deviez bien aller du bon côté, dit Dominic. Quand est le mariage?

— Demain. Je vous quitte. J'ai rêvé que j'étais déjà presque arrivée.

— Allons-y ensemble, proposa Dominic. Je suis invité, moi aussi.

— Ce sera une très grande fête, dit Phineas. Il paraît que Barney a hérité une fortune d'un riche parent dans l'import-export et il fait tout un plat de cette histoire.

— Par exemple! s'exclama Dominic, songeur à la pensée des métamorphoses que pouvaient parfois subir certaines nouvelles.

— Les Affreux ont essayé de lui voler son argent, reprit la chèvre, mais il a mis en déroute toute la bande à lui tout seul.

— Par exemple! répéta Dominic. Voyez-vous ça!

— Il a acheté pour sa fiancée le plus merveilleux anneau nuptial de nez avec des diamants et des améthystes gros comme des petits pois.

— Ouah! fit Dominic. Ouah! Ouah! Ouah!

Une irritation passagère le saisit à l'idée des transformations successives de la vérité, chaque fois plus méconnaissable.

— Enfin! dit-il. En route, allons-y.

Et ils partirent sans se presser en bavardant paisiblement sous la douce lumière de la lune.

— Vous vous servez beaucoup de vos cornes? demanda Dominic.

Il essayait de s'imaginer avec de telles protubérances sur la tête, mais c'était difficile.

– Sans doute, répondit la chèvre, mais sans trop y penser. Il m'arrive d'oublier que je porte des cornes, mais quand je dois m'expliquer avec les Affreux, alors là, je m'en souviens.

Dominic sourit au ton de défi de la chèvre.

– Et qu'est-ce que vous préférez dans les mariages ? demanda-t-il.

– J'aime tout, répondit Phineas. L'atmosphère de fête, la nourriture, la musique, la danse, les beaux costumes, les décorations, la gaieté. Mais je crois que ce que j'aime le mieux, c'est d'être là, au milieu de tous les autres dans cette grande agitation, être vue, me sentir au centre des choses, être admirée par tout un chacun ou m'imaginer que je le suis, ce qui revient au même. Peu importe que les autres se sentent, *eux*, le pôle d'attraction, se prennent pour des boute-en-train. Moi aussi, je sais que je le suis comme ils le savent de leur côté et tout le monde est content, tout le monde s'amuse. Voilà pourquoi les fêtes sont si merveilleuses.

Tout en parlant, ils s'étaient rapprochés
d'une forme massive et bizarre. Cette forme
semblait bouger, et ils hâtèrent le pas, Dominic en tête, pour voir de quoi il s'agissait.
C'était un petit éléphant assis au milieu de la
route. Même pour un petit éléphant, il était

minuscule ; en vérité, il n'était pas plus gros
que Dominic. Absorbé par ses pensées, il
n'avait pas même remarqué la présence près
de lui de ces deux curieux animaux qui lui
faisaient de l'ombre.

— Je vous demande pardon, monsieur, dit Dominic à l'inconnu. J'espère que vous goûtez la beauté sans pareille de ce clair de lune.

Le petit éléphant tourna la tête, surpris.

— Bonsoir, dit-il. J'ai un problème.

— Pouvons-nous vous être de quelque secours ? demanda Dominic.

— Non, je ne crois pas. Enfin, peut-être, après tout. Permettez-moi de me présenter. Je m'appelle Mwana Bhomba.

— Drôle de nom, dit Phineas Matterhorn.

— Je viens d'Afrique, expliqua Mwana Bhomba.

— Oh ! dit la chèvre. Moi, je suis Phineas Matterhorn et voici mon ami Dominic. Quel est donc votre problème ?

— Vous ne le croirez sans doute pas, dit l'éléphant, mais je suis expert en tours de magie et par conséquent je peux réaliser tous mes vœux. C'est-à-dire que je *pourrais* faire des tours de magie si j'arrivais à me rappeler le *mot* magique. Si jamais je le retrouve ce mot, mon premier vœu sera de ne plus jamais l'oublier.

— Très judicieux, jugea Dominic. Et où avez-vous appris la magie ?

— Voyez-vous, reprit l'éléphant, un sorcier — un crocodile sorcier des pays où j'habite — m'a donné ce mot magique. Je ne sais pas pourquoi. Il m'a dit que d'habitude les éléphants qu'il voyait étaient énormes et moi j'étais si petit... Il a dit qu'un petit éléphant comme moi avait besoin de magie pour faire son chemin dans le monde. Enfin, bref, il me l'a donné. Le premier souhait que j'ai fait, ç'a été de me retrouver au milieu d'un paysage lointain, n'importe quel paysage romantique lointain, et me voilà.

— Cette lune superbe vous a sans doute mis sur notre route, décida Dominic.

— C'est très joli ici. Vous vivez dans un pays bien agréable, dit l'éléphant. Mais je voudrais bien pouvoir me retrouver chez moi en Afrique et j'ai beau me torturer la cervelle, pas moyen de me souvenir du mot magique.

— Quel dommage ! dit Dominic. À quoi ressemble-t-il ?

— Il ressemble un peu à *lest*, mais je ne crois pas qu'il commence par un L.

— Par quoi commence-t-il, d'après vous?

— A, F, G, P ou H, mais je ne suis pas sûr. À moins que ce ne soit un J...

L'éléphant poursuivit en disant qu'il pouvait commencer par n'importe quelle lettre de l'alphabet, que c'était un mot très simple, très banal et peut-être justement cela le rendait-il plus difficile à retenir?

— Les éléphants n'ont-ils pas la réputation d'avoir très bonne mémoire? demanda la chèvre.

— Oui, répondit Mwana Bhomba, et c'est pour cela que je n'ai pas noté le mot sur un bout de papier, comme j'aurais dû, ou mieux, que je ne me le suis pas fait tatouer sur la patte! Je me suis fié à ma mémoire et ma mémoire me fait faux bond.

— Voyons, dit Dominic en allant et venant, les pattes derrière le dos. Nous n'avons qu'une chose à faire, passer en revue tous les mots que nous connaissons et, si c'est un mot simple, comme vous dites, nous finirons bien par le trouver. Il commence sans doute par une lettre du bout de l'alphabet, donc ne commençons pas bêtement par A. Prenons plutôt Z pour débuter et remontons en arrière. Est-ce que c'est zylophone?

— Xylophone commence par un X, remarqua la chèvre.

— Est-ce zèbre? demanda Dominic.

— Non, dit l'éléphant.

— Est-ce zéro?

— Non.

— Zigzag?

— Non.

Quelques autres mots en Z suivirent.

— Très bien, Y, dit la chèvre. Yaourt, qu'est-ce que ça donne?

— Non, dit l'éléphant.

— Alors, yoga, yogi, yole, yucca, yak, youyou…?

— Non, dit l'éléphant.

— Continuons à chercher en marchant, suggéra Dominic. Venez avec nous au mariage des sangliers, Barney et Pearl. Ils feront sûrement bon accueil à un ami à nous. À un moment ou à un autre, nous finirons bien par le découvrir, votre mot, parce qu'en faisant preuve de méthode et d'intelligence, nous devons nécessairement y arriver. Allons, courage, nous allons le retrouver, votre mot magique.

Réconforté par ces bonnes paroles, l'éléphant se releva et ils se mirent à cheminer sans hâte tout en essayant les mots les plus divers. Quand ils eurent passé en revue les lettres X, W, V, U, T, S, R, Q et P, ils parvinrent à un endroit où se déroulait une scène plus qu'insolite. Devant eux se creusait une sorte de cuvette au fond de laquelle une marmotte, un castor, un raton laveur et un porc-épic s'absorbaient dans un déconcertant rituel.

La marmotte, le castor, le raton laveur et le porc-épic, après avoir fait la révérence à la lune, se la firent entre eux. Puis ils décrivirent à pas lents un cercle, s'inclinant vers le nord, l'est, le sud et l'ouest. Ensuite ils se couchèrent sur le sol et roulèrent trois fois sur eux-mêmes

dans le sens des aiguilles d'une montre et trois fois dans le sens contraire. Après quoi, le porc-épic aspergea la marmotte, le raton laveur et le castor d'huile de coco. Là-dessus, le raton laveur jeta des graines de sésame sur le porc-épic, la marmotte et le castor. Sur ces entrefaites, le castor lut quelques mots dans un grand livre et tous les quatre baisèrent le livre. La marmotte se coiffa alors d'un grand chapeau couvert d'insignes et toucha chacun des autres avec une branche de saule. Encore une fois, solennellement, ils se mirent à marcher en rond. C'était un spectacle très impressionnant et mystérieux, et Dominic, Phineas et Mwana n'en découvrirent jamais la signification, car la marmotte, le castor, le raton laveur et le porc-épic appartenaient à une société secrète qui ne livrait jamais ses secrets. Ils savaient, eux, ce qu'ils faisaient. Tout comme vous et moi savons ce que nous faisons quand nous faisons ce que nous faisons et c'est cela seul qui compte.

Dominic, Phineas et Mwana s'étaient remis en route vers le mariage.

— Et olive, non? demanda Dominic. Oasis, obélisque, ouf, ours, ottoman, orchidée, orbite, orange, ocelot, olifant, ouille, onagre, oseille...

— Rien de tout ça, répondit Mwana.

La lumière commençait à changer, la lune avait traversé la presque totalité du ciel et descendait vers l'horizon, prête à se coucher.

— Ocarina, objet, obole, ongle, oncle, onde, octobre, odeur, onyx, opossum, oxygène, poursuivit Phineas.

L'éléphant semblait au désespoir.

— On le trouvera, dit Dominic. Passons à N; nouilles? nez? noix, nombril, noyau, ne, nid, nu, Nagasaki...

— Non, dit l'éléphant.

Lorsqu'ils furent parvenus à la lettre A, après avoir prononcé tous les mots qui leur passaient par la tête, ils avaient atteint les faubourgs de Grandville et c'était le matin. Ils s'allongèrent dans un champ de foin fraîchement coupé et s'offrirent un long sommeil réparateur de cinq heures, du matin jusqu'à midi.

Un énorme soleil bien mûr flottait maintenant dans un vaste ciel limpide. Une journée parfaite pour un mariage. Dominic, Phineas et Mwana prirent un bain dans un ruisseau à proximité. Mwana, utilisant sa trompe comme une lance d'arrosage, doucha les autres, puis lui-même, et ils se sentirent tous trois frais comme des gardons. Ils n'avaient rien à se mettre sous la dent que de l'herbe mais peu importait : ils savaient qu'ils allaient bientôt faire un festin royal.

15

Le mariage devait avoir lieu après le coucher du soleil dans la grande salle de bal de cristal. À leur entrée en ville, les trois amis, s'étant renseignés sur l'endroit où se trouvait la salle de bal, se séparèrent jusqu'à l'heure du mariage, chacun ayant besoin de se retrouver quelque temps seul avec ses pensées et ses préoccupations avant de se lancer dans le tourbillon des réjouissances.

Mwana étant incapable de faire le souhait qui l'eût rendu riche, Dominic lui donna une pièce d'or afin qu'il pût s'acheter un habit convenable pour la cérémonie. Par bonheur, Phineas avait eu dans son inconscient, avant d'entamer sa marche somnambulique, la bonne idée de fourrer quelques billets de banque dans la poche de sa chemise de nuit.

– Rendez-vous à huit heures ce soir, dit Dominic.

– À tout à l'heure, dit Phineas.

– N'oubliez pas de venir, recommanda Mwana. Vous êtes mes seuls amis dans ce pays.

Et chacun partit de son côté. Après avoir marché et réfléchi quelque temps, Dominic décida de flairer Grandville, selon son habitude lorsqu'il découvrait une quelconque agglomération pour la première fois. Il trotta en tous sens le long d'avenues et de ruelles, se frotta contre divers poteaux, réverbères, bornes ou arbres, s'enquit de la population et de l'histoire de la cité : combien de représentants de chaque espèce elle contenait, le taux des naissances, quand, par qui et pourquoi avait été fondée la ville. Il en inspecta les ves-

tiges les plus anciens, les huma avec soin, se renseigna sur le climat aux diverses époques de l'année, apprit quel était le salaire des instituteurs, le prix des mandarines, et bientôt en sut plus long sur la ville que bien des habitants qui y avaient passé leur existence entière. Il vit des banderoles annonçant le mariage et entendit à un coin de rue un exposé sur les détails des somptueux préparatifs de la fête. Barney, certes, dépensait sans lésiner la fortune qu'il avait si aisément acquise. Au passage, Dominic entra dans une boutique de coiffure tenue par un cochon volubile du nom d'Ange Saindou, se présenta et s'assit dans le fauteuil.

— Pas le fameux Dominic? s'exclama M. Saindou.

Dominic était persuadé qu'il était le seul de ce nom à la ronde et se sentait un être à part même dans ses moments de plus grande modestie. Il admit qu'il était bien ce Dominic-là — ce qu'il était, d'ailleurs, effectivement.

— Ravi de faire votre connaissance. Que puis-je pour votre service? demanda M. Saindou, rayonnant.

Dominic se fit faire un toilettage complet, avec serviettes chaudes sur les oreilles et la truffe et une agréable friction au tonique pour poil. Il donna à M. Saindou une pièce d'or pour ses services en déclarant :

— Gardez la monnaie. J'espère vous voir au mariage.

Et il s'en alla. Après quoi, il fit l'acquisition d'un magnifique ensemble de velours vert avec lequel il était certain de ne pas passer inaperçu. Lorsque Dominic, dans le salon d'essayage, rangea ses vieux vêtements au fond de son baluchon, il sortit le chien en peluche qu'il avait récemment trouvé et le flaira avec un plaisir intense. À nouveau, il se sentit le cœur traversé d'une sorte d'ineffable désir qu'il ne comprit pas. Il replaça le chien en peluche dans le foulard et partit, saluant le tailleur, un bélier du nom de Beerbohm Melèze, qui était aussi invité au mariage. Dominic était son dernier client de la journée.

Il restait encore deux heures à attendre et Dominic était maintenant si impatient de voir le grand événement commencer qu'il ne pouvait plus tenir en place. Une fois de plus, il se mit à trotter par la ville, reniflant de gauche et de droite, enrichissant son bagage d'informations olfactives, cherchant à travers Grandville certains détails qui auraient pu lui échapper jusque-là. Ensuite il s'aventura jusqu'aux faubourgs de la ville dont il fit le tour deux ou trois fois avant de s'asseoir enfin sous un arbre pour s'y reposer un moment.

Encore une fois, il se souvint du jouet en peluche et son agitation se dissipa. Il le déballa et le tint tendrement dans ses bras. Le petit chien avec ses yeux faits de boutons de bottine était bien sale, râpé et déformé par des années de manipulation. C'était un jouet banal presque hors d'usage et qui pourtant avait pour lui quelque chose de magique. À quoi pouvait bien tenir la fascination qu'exerçait sur lui ce pauvre joujou perdu? Pourquoi le faisait-il rêver à ses futures aventures? Assis avec le petit chien en peluche dans la lumière rose du soleil couchant, il savait que l'avenir lui réservait de grandes joies. Perdu dans ses songes, il avait oublié le monde environnant et le temps qui passait.

Des images de tendres fleurs d'avril aux flancs de douces collines, de vasques limpides bordées de menthe sauvage au long de ruisseaux murmurants, de forêts silencieuses et aromatiques foisonnantes de fougères, de brises légères et tendres, de ciels cléments d'un monde en paix peuplé d'heureuses créatures lui défilaient dans l'esprit. Soudain, il se rendit compte qu'il était en retard pour le mariage. Il faisait déjà nuit et une autre lune miraculeuse s'était levée. Il entendit s'égrener neuf coups aux cloches voisines – il n'avait pas entendu sonner huit heures –, et se hâta de trotter vers la ville.

16

Dominic connaissait déjà bien Grandville. Il alla droit à la salle de cristal qui scintillait de lumières au-dehors comme au-dedans.

Sans hésitation, il entra. À la grande rumeur des réjouissances, flots d'allègre musique, rires en cascade, joyeux brouhaha des conversations, ses oreilles se dressèrent. Le spectacle des costumes multicolores et des visages rayonnants de joie l'enchanta. Son nez enregistra toutes sortes d'odeurs engageantes, les odeurs des innombrables assistants, des roses en guirlandes aux murs, de l'eau de Cologne, des lotions, parfums et poudres variés dont les invités avaient libéralement usé, sans compter les effluves des mets délicieux préparés par les chefs les plus réputés de la région.

Dominic n'avait pas manqué grand-chose, seulement la première heure, ces moments où les invités font leur entrée, seuls ou en groupes, et sont accueillis par leurs hôtes, accrochent leurs capes ou leurs manteaux, se poudrent le museau au vestiaire, sont présentés les uns aux autres s'ils ne se connaissent pas déjà, s'entrexaminent d'un œil critique ou admiratif, s'inspectent dans tous les miroirs, se tiennent çà et là, timides, empruntés, échangeant avec réticence des remarques banales et se demandant si jamais les réjouissances qu'ils espéraient vont enfin commencer.

Toutes ces hésitations et embarras préliminaires étaient dissipés à l'arrivée de Dominic; l'orchestre jouait une gavotte guillerette et les talons résonnaient au rythme de la musique tandis que les danseurs se trémoussaient dans la joie et l'insouciance. Barney Swain, planté près de la porte en bon hôte qu'il était, se précipita vers Dominic et l'embrassa avec chaleur. Puis il alla vite chercher sa fiancée et la présenta à Dominic en disant:

– Voici mon très cher ami le chien à qui nous devons notre grand bonheur. Sans lui, rien de tout cela n'aurait été possible!

Pearl Sweeney, bientôt madame Swain, embrassa Dominic avec un égal enthousiasme. Il suffit à ce dernier de la regarder pour comprendre l'adoration de Barney. C'était la plus ravissante laie qu'on pût imaginer et elle rayonnait de joie et de santé. Une robe de soie damassée rose à fleurs rehaussait encore sa beauté.

Pearl regarda Dominic dans les yeux et lui dit:

— Vous êtes un ange. Jamais nous ne vous oublierons. J'appellerai mon premier enfant Dominic et si c'est une fille, Dominique.

— J'en serai très honoré, répondit Dominic, courtois comme toujours avec les dames.

Il fut interrompu par un roulement de tambour annonçant que la cérémonie du mariage allait commencer. Barney et Pearl s'excusèrent et s'éloignèrent vers le fond de la salle.

Mwana, vêtu d'un boubou africain, s'approcha en hâte de Dominic.

— Dieu merci, vous voilà, dit-il. Je me sens tellement seul, moi qui ne connais personne et ne sais comment il faut me tenir dans cette société.

— Avez-vous retrouvé le mot magique?

— Non, dit tristement Mwana. Je laisse une période de répit à ma cervelle. Peut-être va-t-il me revenir tout seul?

– Ce n'est pas asparagus? demanda Dominic.

– Non, répondit Mwana.

Les invités se groupaient des deux côtés de la grande salle, laissant entre eux un large passage. L'orchestre attaqua une marche nuptiale à la fois solennelle et gaie. À pas mesurés, Pearl et Barney s'avancèrent vers l'autel. La tendresse brillait dans les yeux de Barney. Pearl, pour sa part, semblait perdue dans un rêve d'amour. La cérémonie fut célébrée par le révérend Marcassou, lui aussi sanglier. Tout en prononçant d'une voix étranglée par l'émotion les paroles sacramentelles, «Avec cet anneau, je t'épouse», Barney plaça l'anneau de mariage au nez de Pearl.

Ils furent déclarés mari et femme; aussitôt, des acclamations et toutes sortes de cris de joie s'élevèrent de l'assistance. Chacun s'avança pour féliciter les nouveaux époux et pour embrasser la mariée tandis que Barney considérait d'un air fier et attendri tous ces privilégiés qui avaient la chance de tenir un instant dans leurs bras sa bien-aimée.

Une fois les embrassades et les congratulations terminées, les invités en foule cédèrent à leur appétit qui commençait à s'éveiller et que stimulaient les célestes parfums montant de la cuisine. Les mets furent apportés sur des plateaux d'argent et disposés sur de longues tables alignées tandis que l'orchestre jouait une musique de banquet. Parmi les plats savamment préparés se trouvaient mûres à la sauce aux noix, herbes fines

à la française, soufflé au fromage garni de glands, pommes de terre nouvelles à l'ail, os marinés au bourgogne, beignets d'avoine, pâte de graines de tournesol, melon d'eau farci, salade de marguerites, trèfle en gelée et purée d'oranges. Il y avait aussi toutes sortes de boissons : vin de pissenlit, bière de champignon, jus de luzerne et d'airelle, sirop de chèvrefeuille, eau douce et saumâtre, cognac d'écorce. Les invités, vêtus des plus riantes couleurs, mangeaient debout, circulaient de table en table, se saluant, se complimentant, échangeant des plaisanteries. Mme Matilda Renard, en train de découper une croquette

aux noisettes, repéra Dominic dans la foule et se dandina prestement vers lui avec ses cinq rejetons. Éperdue d'affection et de reconnaissance, l'oie serra Dominic sur son cœur. Il lui rendit son étreinte et l'embrassa, puis embrassa tour à tour les cinq petits dans l'ordre alphabétique pour ne pas faire de jaloux. Babillant de joie, ils essayaient tous à la fois d'attirer son attention.

Mwana vint vers eux avec une assiette de bananes et d'asperges en sauce et fut présenté aux Renard. Les oisons ouvrirent de grands yeux. Jamais ils n'avaient encore vu d'éléphant vivant. Ils ne connaissaient cet animal qu'en images et n'en revenaient pas, car on leur avait toujours dit que les éléphants étaient des bêtes énormes.

— Est-ce que le mot serait banane? chuchota Dominic à Mwana en regardant son assiette.

— J'ai essayé tous les fruits et tous les légumes, répondit Mwana. Sans résultat.

Dominic remarqua qu'Elijah Jambonot, l'âne, était arrivé et qu'on le présentait à la ronde.

Mme Renard entreprit de parler à Dominic de tout ce qu'elle avait acheté avec le trésor qu'il lui avait donné — des objets pour elle-même et pour les enfants, un canot pour leur étang, un plongeoir, un grand parasol, des maillets de croquet, etc. Dominic l'écouta avec attention mais il écoutait avec une égale attention tout ce qui se passait autour de lui. Bref, il était tout yeux, tout oreilles et tout nez, enregistrant l'incessant remue-ménage environnant, les moindres allées et venues des assistants. Soudain, les lumières furent mises en veilleuse et une procession de serveurs apparut, portant des plats chargés de citrouilles flambées. Brusquement, un feu d'artifice jaillit de tous les plats aux acclamations enthousiastes des invités, puis les lumières furent rallumées. Les enfants commencèrent à se poursuivre autour et en dessous des tables et les danseurs se mirent à tourbillonner dans un joyeux abandon. Les jupes voltigeaient tandis que d'innombrables pieds marquaient la cadence sur le parquet ciré.

Dominic rayonnait de bonheur. On le présenta à divers parents du marié et de la mariée : Hermann Swann, Maribelle Swen, Mervyn Swyn, Caroline Swahan et ses enfants. Puis Dominic dansa la fin de la tarentelle avec Matilda Renard. Il dansait si bien qu'elle l'applaudit avec de grands battements d'ailes.

Grisé par ces compliments féminins, il multiplia les ronds de jambes et les révérences. Elijah Jambonot, de son côté, dansait avec la cousine de la mariée, Maribelle. Ses sabots claquaient sur le plancher luisant.

Quelqu'un proposa de porter un toast à M. et Mme Swain. Il y eut un roulement de grosse caisse, un crépitement de tambourins, un fracas de cymbales. Des verres furent tendus aux uns et aux autres.

— Au bonheur éternel des Swain! s'écria un convive, levant un verre de cognac de mangue.

En écho s'éleva une chaleureuse ovation:

— Longue vie et prospérité!

Les verres s'entrechoquèrent, leur contenu disparut au fond des gosiers.

— Le mot ne serait pas mûre, par hasard? demanda Dominic à Mwana.

— J'ai essayé *tous* les fruits et légumes, répéta l'éléphant.

Un groupe d'acrobates endiablés apparut alors à grands bonds et pirouettes et place leur fut faite au centre de la salle. Deux puissants cochons se campèrent épaule contre épaule. Deux robustes molosses sautèrent sur le dos des cochons et se mirent debout sur leurs têtes. Un singe grimpa au sommet de cette pyramide vivante tout en faisant tournoyer une assiette en équilibre au bout d'un bâton.

Dominic, surexcité par cet exploit, empoigna une perche garnie d'un bouquet fleuri et se projeta sur le dos du singe. De là, il grimpa le long du bâton, culbuta l'assiette et se tint en équilibre sur une patte à l'extrémité du bâton. Il y eut des applaudissements nourris, une ovation, les acrobates sautèrent sur le sol, Dominic courut avec eux autour de la salle, faisant des roues et des sauts périlleux.

À ce moment Lemuel Kangourou, la tortue, fit son entrée à petits pas et demanda si la cérémonie du mariage était commencée. Il apprit avec déception que l'événement était

terminé depuis belle lurette et obliqua pour se diriger vers les mariés qui accueillaient maintenant les hôtes chargés de présents. Dominic les pria de l'excuser de n'avoir rien apporté, mais Barney et Pearl lui rappelèrent qu'il leur avait déjà fait le plus somptueux des cadeaux.

L'orchestre attaqua une nouvelle danse, cette fois une valse. Dominic, attendri, alla s'asseoir près de l'estrade avec son piccolo. Et il se mit à jouer avec tant de sentiment que les musiciens s'interrompirent pour ne pas altérer la pureté des sons enchanteurs qui s'élevaient de sa petite flûte.

À ce moment-là, trois membres du gang des Affreux – deux chats sauvages et une fouine – entrèrent dans la salle de bal, affublés de déguisements et se faisant passer pour des invités. Ils se dirigeaient vers l'amoncellement des cadeaux quand ils furent reconnus par Matilda Renard qui poussa de grands cris d'indignation. La musique s'arrêta et les danseurs firent de même. Dominic bondit à bas de l'estrade, courut au vestiaire et réapparut armé de sa lance, sur quoi les imposteurs battirent précipitamment en retraite et filèrent sans demander leur reste. Dominic les prit en chasse quelques instants, puis revint, de fort bonne humeur. Il se mit alors à jouer un solo de piccolo enjolivé de merveilleuses fioritures.

Cette fois, Lemuel Kangourou avait atteint les nouveaux mariés auxquels il exprima ses vœux de bonheur et ses regrets d'être arrivé en retard. On servit le champagne. Un skunks leva son verre et s'écria :

— Aux Swain et à toute leur progéniture ! Puissent-ils vivre toujours heureux !

Chacun but à leur santé. De nouvelles rasades de champagne furent servies. Un lapin cria d'une voix aiguë :

— Je proclame maintenant la fraternité éternelle du Royaume animal tout entier !

Et les verres furent à nouveau levés et vidés. Dominic se sentait envahi d'un immense bien-être et d'une bienveillance sans limite pour tout ce qui vivait.

— À l'amour éternel! s'exclama-t-il.

Et tout le monde but encore une fois. Mwana apparut à côté de lui et Dominic lui demanda:

— Le mot n'est pas whisky?

— Ce n'est pas une boisson alcoolique, répliqua Mwana. Je les ai toutes essayées. J'ai essayé les fruits, les légumes, les boissons, les fleurs, les meubles, les noms des minéraux et toujours sans le trouver.

Barney Swain venait de monter sur l'estrade de l'orchestre que l'on avait agrémentée d'un rideau rouge pour la transformer en scène de théâtre.

— J'ai le grand plaisir de vous annoncer, dit-il d'une voix forte, que la troupe des Coloquintes, une de nos meilleures compagnies de comédiens, va jouer devant vous une pièce spécialement montée pour la circonstance. Le titre de cette pièce est *Les Exploits de Dominic*. Si vous voulez bien vous installer tous pour voir la scène le mieux possible, le rideau va se lever et le spectacle commencer.

Chacun tendit le cou pour regarder Dominic. Situation fort inhabituelle pour lui, il se sentait très embarrassé.

«Mes exploits? songea-t-il. Je n'ai réalisé aucun exploit. Rien qui mérite qu'on en fasse une pièce.»

Le rideau se leva et découvrit «Dominic» marchant le long d'une route avec sa lance sur l'épaule. Il n'y avait pas de chien dans la

troupe des Coloquintes et le rôle de Dominic était joué par un chat qui, ondulant au lieu de marcher droit comme son modèle, n'en donnait qu'une médiocre imitation.

Dominic en conçut un vif agacement. Le chat portait un masque avec un gros museau noir et des oreilles pendantes.

Un trou avait été préparé sur la scène, dans lequel le chat – c'est-à-dire Dominic – tomba et une scène s'ensuivit où il était bafoué et persécuté par les Affreux.

Mais au lieu de s'échapper comme l'avait fait Dominic, le héros de la pièce sortit du trou en bataillant, tuant deux des bandits avec sa lance, épargnant la vie d'un autre qui jurait de se réformer et mettant le reste en déroute. Lorsqu'il fut attaqué après avoir déterré le trésor de Bartholomé Blaireau, la pièce le montra taillant en pièces à lui tout seul la bande entière.

– Ça ne s'est pas du tout passé comme ça, confia Dominic à Mwana qui se tenait près de lui. À propos, le mot n'est pas bouillie, par hasard?

– Non, je regrette, répondit Mwana, mais merci de continuer à y penser.

Sur la scène fut présenté un autre «exploit» de Dominic. Les brigands avaient pendu à une branche Matilda Renard, jouée par un lapin, et Dominic chargeait, monté sur Elijah Jambonot, interprété par un cochon.

– Ça non plus ne s'est pas passé comme ça, absolument pas, murmura Dominic tandis que le rideau tombait et que les invités se tournaient vers lui pour l'applaudir, beaucoup plus qu'ils n'applaudissaient le spectacle.

Soudain, des flammes jaillirent et le rideau s'embrasa. Les acteurs dégringolèrent à bas de la scène de part et d'autre en glapissant et en hurlant tandis que les invités empoignaient leurs enfants et se précipitaient vers les issues.

– De l'eau! hurla quelqu'un. Qu'on apporte de l'eau!

Des foyers s'allumaient un peu partout dans la salle de bal. Par les fenêtres et par les portes sortaient des gerbes de flammes. De toutes parts, des cris affolés se faisaient écho dans la vaste pièce. Les issues étaient toutes en feu et des flots de fumée noire se répandaient à l'intérieur, engloutissant choses et bêtes. On entendait hurler : «De l'eau!», il y avait des bousculades horribles. Dominic galopait deçà, delà pour juger de l'étendue du sinistre, s'efforçait avec énergie de calmer les autres. Certains des invités tapaient sur les flammes avec leurs vêtements. On entendait crier de plus belle : «De l'eau! De l'air!»

Le seul point d'eau se trouvait dans la cuisine, mais la cuisine était en feu, elle aussi! Barney Swain essaya d'y pénétrer mais ne réussit qu'à se brûler gravement les poils de la hure. En hâte, il battit en retraite pour aller protéger sa jeune épousée. Quelqu'un voulut jeter du champagne sur le feu. Sans succès. Avec le cognac, ce fut pire : il ne fit qu'attiser le brasier. Les mères étreignaient leurs enfants. Certains sanglotaient. Les petits de Matilda Renard, pelotonnés sous ses ailes, couinaient lamentablement. Lemuel Kangourou, plus rapide que d'ordinaire, avait commencé à se diriger vers la porte la plus proche, insensible au poids de tous ceux qui piétinaient sa carapace.

Dominic empoigna Mwana et lui serra la patte avec force.

— Il *faut* à tout prix que vous retrouviez le mot magique!

— Je ne peux pas! s'écria Mwana.

— Si, vous pouvez! aboya Dominic. Faites un effort. Ne vous énervez pas. Détendez-vous et *presto*, il vous reviendra.

— *PRESTO*! hurla Mwana. C'est ça! Voilà le mot! *Presto*, répéta-t-il, *presto*, que le feu s'arrête! *Presto*!

Subitement, le feu cessa. Il n'y avait plus ni flammes, ni fumée, ni gerbes d'étincelles, ni sifflement de bois calciné. Chacun s'était immobilisé, stupéfait, confondu. Ce drame venait-il vraiment de se produire ? Avaient-ils vraiment été témoins d'un si grand prodige ? Mais oui. Le doute n'était plus permis. Et un immense chœur de soupirs s'exhala dans la grande salle.

— Remettez donc tout en état, conseilla Dominic à Mwana.

— *Presto*, dit Mwana. Que tout soit comme avant l'incendie. *Presto*.

Et toutes choses furent exactement comme elles étaient avant l'incendie. Non, pas exactement, car la foule des invités ne pensait plus à la pièce et ne songeait plus à applaudir Dominic.

Mwana, ayant maintenant suffisamment goûté aux plaisirs et aux soucis de ce nouveau pays, dit au revoir à Dominic, salua cordialement tous les autres, puis se souhaita de retour en Afrique et disparut. Dominic monta sur la scène et frappa sur les planches avec sa lance pour attirer l'attention du public.

— Notre bon ami Mwana Bhomba s'est souvenu d'un mot magique en un clin d'œil, dit-il, et voilà comment nous avons tous eu la vie sauve.

Un grand brouhaha de conversations s'éleva dans la salle. Dominic frappa de nouveau l'estrade de sa lance.

— Et maintenant, déclara-t-il, il est temps d'aller régler son compte à la bande des Affreux qui, nous le savons tous, a provoqué ce terrible incendie. En nombre, nous les égalons certainement. Partons à leur recherche et donnons-leur une bonne leçon. Aux armes ! Suivez-moi et comptez sur mon nez pour nous mettre sur leurs traces !

17

Tous les mâles présents au mariage, y compris le marié, s'emparèrent des armes qu'ils pouvaient trouver dans la salle de cristal: tringles à rideaux, pieds de chaise, pieds de table, cannes, lardoirs de cuisine, grandes louches, rouleaux à pâtisserie, balais divers et même des fruits et légumes qui pouvaient servir de missiles: ananas épineux, melons pesants, noix de coco. Dominic franchit à la tête de la troupe le grand portail, tenant haut levée sa fidèle lance. Ce fut une cohorte disparate, aux soldats en habits de cérémonie et brandissant leurs armes improvisées, qui surgit de la salle brillamment illuminée pour s'enfoncer dans la nuit merveilleuse. La lune paisible baignait de sa lumière laiteuse la horde des animaux furieux partant en croisade contre leurs ennemis. Pour Dominic, l'air était empesté des relents infects des Affreux. Guidé par ces odeurs, il mena son armée hors de la ville, à travers champs, au-delà d'un ruisseau semé de cailloux, et s'engagea dans une forêt où le clair de lune filtrait à travers la voûte en dentelle du feuillage. Soudain, il leva sa lance et la troupe s'arrêta. La puanteur des Affreux devenait intolérable.

— Allons-y très lentement, murmura Dominic.

Et il s'avança avec précaution, ses soldats derrière lui.

Bientôt, ils entrevirent un feu de camp au milieu d'une clairière et là, autour du foyer, étaient assis les divers membres de la bande, lançant des plaisanteries grossières ponctuées de rires canailles, leurs crocs illuminés par les flammes. Certains se roulaient sur le sol en ricanant, d'autres se tapaient dans le dos, se congratulant de leur malignité réciproque.

Leur chef, le renard, esquissait des entrechats, leur rappelant à voix haute les incidents dramatiques qui avaient émaillé l'incendie de la salle de cristal, bondissant et piétinant sur place comme s'il essayait de réprimer son hilarité.

Ils étaient tous convaincus d'avoir accompli l'action la plus noire, la plus infâme de leur carrière. Les dégâts, pensaient-ils, devaient être irréparables et imaginer les souffrances et le malheur des victimes les comblait d'une joie sans limites.

Dominic et ses compagnons les observaient, à la fois horrifiés et fascinés. Des créatures vivantes pouvaient-elles être à ce point néfastes ? Apparemment oui.

— À l'assaut ! cria Dominic.

Et tous ceux de son armée se ruèrent parmi les arbres, balançant leurs divers bâtons, triques et gourdins de droite et de gauche, leurs forces décuplées par une sainte fureur. Dominic, la lance pointée en avant, se démenait pour frapper d'estoc et de taille.

L'humeur folâtre des Affreux s'était instantanément dissipée. Attaqués par surprise et désarmés, certains se carapatèrent, traversant même le feu, projetant des braises et des étincelles en tous sens et se roussissant le poil. Certains tombèrent à genoux, implorant clémence. D'autres, qui avaient réussi à ramasser leurs armes, tentèrent de riposter. Les fuyards furent poursuivis, rattrapés, sérieusement étrillés et bombardés de fruits, de pierres et de mottes de terre avant de disparaître. Ceux qui avaient voulu résister furent finalement mis en déroute, l'armée de Dominic à leurs trousses malmenant et rossant les traînards.

Mais Dominic avait été blessé. La troupe des vengeurs, revenant vers la clairière, le trouva gisant sur le sol, inconscient, sa lance à son côté. Les Affreux avaient fait assaut de férocité contre Dominic, celui d'entre eux qu'ils détestaient le plus. Il avait été atteint de plusieurs coups critiques, dont certains malencontreusement administrés par ses propres alliés qui tentaient de le secourir.

Voyant leur général inerte, ils craignirent de le trouver mort et comme ils s'approchaient de lui, certains se mirent à pleurer. Barney Swain se pencha pour écouter le cœur de Dominic. Il battait avec régularité. Le marié assura les autres que Dominic, blessé peut-être, n'en

était pas moins bien vivant. Ils firent un bran-
card avec des bâtons reliés par des ceintures, le
couvrirent d'herbes et de feuilles et déposèrent
avec précaution Dominic sur ce lit de verdure.
Puis ils le transportèrent jusqu'à Grandville en
veillant à lui éviter toute secousse ou tout
cahot. Inconscient, Dominic se figurait encore en train de combattre l'ennemi.

– Tiens, marmonnait-il, prends ça! Vau-
rien! tout en pourfendant d'une lance ima-
ginaire tel ou tel des Affreux.

Il revint à lui au début de la matinée et se retrouva allongé sur un lit de soie dans une chambre remplie de fleurs odorantes, dans la nouvelle maison, fort cossue, de M. et Mme Barney Swain. Près de lui était assis le Dr Halezant, un cheval. Barney et Pearl se tenaient aussi dans la pièce, ainsi que Matilda Renard, ses enfants et quelques autres amis. Tous regardaient Dominic, avec inquiétude.

– Où suis-je? furent ses premiers mots (on lui expliqua où il était). Qu'est-ce qui s'est passé? demanda-t-il ensuite (on lui expliqua ce qui s'était passé).

– Oh! fit-il, j'ai l'impression que ça me revient.

Le médecin alors se présenta à lui et annonça à Dominic qu'il avait été gravement contusionné mais qu'il n'avait rien de cassé.

– J'ai mal partout, dit Dominic.

Le Dr Halezant prit le pouls de Dominic, lui ausculta le cœur avec attention, lui examina les oreilles et la gorge, vérifia que son nez était frais comme il se devait, prescrivit

quelques jours de repos au lit et dans l'immédiat un petit casse-croûte.

Barney Swain sortit sur le balcon pour
annoncer à la foule rassemblée au-dehors
que leur héros serait bientôt sur pattes, et
tous ses fidèles amis qui avaient passé une
nuit d'anxiété à attendre des nouvelles, après
avoir poussé quelques acclamations, rentrè-
rent chez eux pour y trouver enfin le sommeil. On servit à Dominic un repas fait des
restes délicieux du festin de mariage.

— Quel bonheur que ce ne soit rien!
s'exclama Matilda Renard.

— Nous nous faisions tant de souci, ajouta Pearl Swain, hier encore jeune fille et aujourd'hui femme mariée.

Barney Swain toucha le bras de Dominic et le gratifia d'un regard qui en disait long. Les cinq oisons s'éparpillèrent autour du lit en babillant gaiement.

Dominic, ayant constaté la chaude affection dont il était entouré, se rendormit. Ses visiteurs sortirent sur la pointe des pieds.

De longues heures plus tard, Dominic s'éveilla. Il se sentait bien, en pleine forme, prêt à s'élancer de nouveau dans le vaste monde où l'attendait son destin. Il songea en outre qu'il fallait laisser les Swain en tête à tête de sorte qu'ils puissent profiter pleinement de leur vie conjugale. Il refit son baluchon, coiffa son béret et écrivit un billet remerciant tous ceux qui l'avaient entouré de soins et de sollicitude, ajoutant qu'il espérait bien les revoir tous dans l'avenir. Lorsqu'il quitta la maison, personne ne s'en aperçut. La nuit allait bientôt tomber.

18

Dominic se retrouva sur la route avec plaisir. Il marchait d'un pas tranquille, regardant le jour décliner pour laisser la place à la nuit, récapitulant les événements de la veille et tout ce qui lui était arrivé depuis qu'il était parti de chez lui à l'aventure.

La sorcière-alligator avait bien dit la vérité. La vie n'avait rien de monotone le long de ce chemin. Combattre les méchants en ce bas monde était une expérience nécessaire et positive. Être heureux en compagnie des bons était, bien entendu, encore plus délectable. Mais l'on ne pouvait être heureux en compagnie des bons que si l'on combattait les méchants. Et Dominic eut le sentiment qu'il servait utilement une cause importante.

Puis il en vint à se demander ce que l'avenir lui tenait encore en réserve et, sans refléchir, il hâta le pas comme s'il pouvait ainsi en être informé plus vite.

Et bientôt il se rendit compte qu'il ne se sentait pas aussi bien qu'il le croyait. Les douleurs de ses diverses blessures se réveillèrent et il se sentit au bord de l'épuisement. C'était encore une nuit de clair de lune magique, aussi belle et mystérieuse que les précédentes. Dominic se trouvait maintenant au cœur d'un bois embaumé des senteurs de l'été : les parfums délicieux et apaisants des plantes gorgées de sève, l'odeur de la terre, les effluves flottant dans l'air et venus d'ailleurs – de la mer, des prairies, des jardins. Il se fit une couchette dans un coin herbeux, de cette herbe fine et douce qui pousse parfois sous les arbres, parsemée d'odorantes fleurs sauvages. À peine le chien fatigué eut-il posé sa tête sur le sol en exhalant un long soupir qu'il se mit à rêver. Le clair de lune baignait Dominic endormi et dans son rêve brillait au ciel la même lune.

Mais ce rêve ne se déroulait pas comme d'habitude. Il lui semblait qu'il était assis seul dans un théâtre, assistant à une pièce dont il était le héros. Le personnage qui l'incarnait sur la scène fuyait devant une sorcière-alligator parce qu'il ne voulait pas entendre le reste de l'histoire de sa vie, pas même le prochain épisode à venir. Le Dominic assis dans la salle craignait que la sorcière pût rattraper le Dominic sur la scène. Ce Dominic-là se lassait de courir et se retournait pour attendre la sorcière, mais elle n'était plus là. Alors il se rendait compte qu'il était gravement blessé et avait tout le corps endolori. Puis il se retrouvait couché et quelqu'un soignait ses blessures, soulageait ses souffrances qui, peu à peu, se dissipaient, disparaissaient. Il ne pouvait pas voir cette personne et, pourtant, il savait qu'elle était d'une grande beauté. Qui donc était-ce? Il ne la connaissait pas et en même temps elle lui était familière. Et puis ils marchaient tous deux côte à côte et le Dominic assis dans le théâtre du rêve aspirait à devenir celui qui se trouvait sur la scène...

Tandis que Dominic était plongé au plus
profond de son rêve, autour de lui un drame
se tramait dans l'ombre. Le reste du gang des
Affreux s'était regroupé depuis la nuit précédente et les furets à force de fureter et les
fouines à force de fouiner avaient fini par
retrouver sa trace. En silence, ils se rappro-
chaient avec prudence de cet ennemi qui,
armé de sa lance, ne cessait de contrecarrer
leurs sinistres entreprises. Avant qu'il apparût, ils avaient toujours régné en maîtres sur
la région qu'ils terrorisaient et leurs mauvais

coups étaient presque toujours couronnés de
succès. Ils détestaient donc Dominic de tout
leur cœur et leur cœur était capable de la
haine la plus noire. Et maintenant, ils étaient
bien résolus à soustraire définitivement Dominic de la somme des créatures vivantes.

Ainsi dormait-il en toute innocence,
perdu dans ses songes, à ce point épuisé que
ses oreilles et son nez d'habitude infaillibles
jusque dans le sommeil manquèrent à lui
donner l'alarme. De toutes parts, les Affreux

s'avançaient vers lui à pas précautionneux, les yeux brillant de férocité, diversement armés, ongles et griffes prêts à frapper.

Dominic rêvait toujours. Cette fois, les bandits, assassins en puissance, étaient vraiment tout près de lui. Quelques-uns avaient déjà levé leurs couteaux ou leurs gourdins. Mais subitement ils se figèrent sur place, stupéfaits, tendant l'oreille. Tout autour d'eux, s'élevant de la forêt entière, leur parvenaient des voix, des voix qui appelaient, se répondaient, se faisaient écho, répétant le nom de Dominic.

– Dominic! Dominic! DOMINIC! Dominic! Réveille-toi! Réveille-toi, Dominic!

C'étaient les arbres. Les arbres qui lui parlaient. Et ils se mirent à se balancer, à plier, à agiter leurs branches comme s'ils étaient assaillis par une violente tempête, en émettant des grincements, des craquements terribles.

La réputation d'un chien avisé, brave,

généreux, nommé Dominic, s'était propagée à travers la forêt depuis quelque temps déjà et les arbres s'étaient pris d'affection pour lui. De plus, à force de se tenir là, dressés dans le décor, muets et grandioses, ne faisant que se ronger d'indignation et de colère contre toutes ces malfaisantes créatures du gang des Affreux, ils se trouvaient à bout de patience.

Et maintenant que Dominic le bien-aimé était sur le point de succomber à leurs pieds, au cœur même des bois, les arbres étaient résolus à parler enfin, à rompre leur silence séculaire.

Dominic les entendit, s'éveilla, vit le cercle des Affreux autour de lui, leurs armes dressées, mais pétrifiés de terreur. Et à cet instant même, les arbres les plus proches ployèrent, s'inclinèrent vers les coquins en criant:

– Honte à vous! Arrière! Allez au diable!

Épouvantés à en perdre la tête, les Affreux se précipitèrent dans toutes les directions, cherchant la voie la plus rapide pour s'enfuir hors des bois.

Et jamais l'on n'entendit plus parler d'eux, ni en bandes, ni comme malfaiteurs isolés. La panique où les avait plongés cette expérience, la condamnation des grands seigneurs du Royaume végétal jusque-là silencieux, les avaient pénétrés jusqu'à l'âme.

Convaincus que la Nature elle-même était révoltée par leurs excès criminels, ils se défilèrent piteusement, chacun de son côté, persuadés de la nécessité de se corriger pour rentrer à nouveau dans les bonnes grâces de

dame Nature et retrouver l'innocence perdue de leur lointaine enfance.

Dominic, rempli d'admiration et de gratitude, s'agenouilla pour faire acte d'obédience devant les arbres. Une brise amicale lui répondit, un léger soupir qui fit bruire les branches. Pendant quelque temps, il marcha lentement dans la forêt, effleurant du flanc ou de la patte bien des arbres. Des petits oiseaux, qui à cette heure-là auraient dû être endormis, chantaient sur son passage.

Il était heureux.

19

Plus tard dans la nuit, il sortit des bois et arriva dans un jardin. En bordure de ce jardin se trouvait une fontaine de marbre dont le double jet s'élevait doucement pour retomber avec grâce en pluie fine dans un bassin bordé de mosaïque pourpre et plein de poissons rouges. Sous la lumière magique du clair de lune, chaque goutte d'eau luisait comme une perle.

Dominic contempla la fontaine dont la vue lui réjouissait le cœur, savourant la fraîcheur qui s'en dégageait. Soudain il sentit à nouveau cette odeur, ce parfum qui l'in-

triguait tant, qui avait éveillé en lui la pré-
monition d'un bonheur inconnu. L'odeur du
chien en peluche flottait dans le jardin.

Un paon resplendissant surgit de derrière
la fontaine et s'inclina devant Dominic. Les
teintes irisées de sa queue déployée, ses
ocelles brillants rutilaient sous le clair de
lune. Même les franges délicates des plumes
étaient clairement visibles. Dans le jaillisse-
ment de la fontaine se reflétait en fugitifs
arcs-en-ciel le plumage chatoyant du paon.
Derrière l'oiseau, au-delà de la fontaine,
Dominic remarqua soudain des massifs de
fleurs multicolores.

— Bienvenue en ce jardin, déclara avec
suavité le paon.

— Merci, répondit Dominic. Votre queue
est magnifique. Elle met en valeur la fontaine
et les fleurs qui, de leur côté, mettent en
valeur votre plumage.

Le paon s'inclina de nouveau et eut un
frémissement de plumes, comme s'il faisait
palpiter un éventail.

— À qui est ce jardin? s'enquit Dominic.

– C'est un jardin enchanté, répondit le paon, et j'en suis le chambellan. Personne d'autre que vous n'est encore arrivé jusqu'ici. Vous êtes notre premier visiteur.

– J'en suis très honoré, dit calmement Dominic.

– Vous êtes un personnage tout à fait spécial, dit le paon.

Dominic ne savait quoi répondre. Il regarda autour de lui.

– Jamais je n'ai vu d'aussi belles fleurs! s'exclama-t-il.

– Oui, confirma le paon. Jamais elles ne se flétrissent, jamais elles ne meurent.

– Pas même en hiver? s'enquit Dominic.

– Il n'y a jamais d'hiver ici, expliqua le paon. Tout autour il peut sévir avec des vents glacés qui font rage mais jamais l'hiver n'atteint cet endroit précis. Je peux avancer la patte et toucher la neige, sentir sa froide morsure et pourtant me trouver encore là où règne un éternel été.

– Fantastique! dit Dominic.

Bien qu'il eût été témoin de bien des

prodiges, sa faculté d'émerveillement ne s'émoussait jamais.

— Puisque vous êtes là, dit le paon, je vais vous faire visiter le domaine. Je n'ai eu personne à qui parler depuis bien des années, tout en ne me sentant pas accablé par la solitude. J'ai passé beaucoup de temps à admirer ma queue. Il est bien agréable de trouver enfin quelqu'un pour l'admirer à son tour et vous faire part de son admiration.

— Quelles sont ces fleurs ? demanda Dominic en désignant une rangée de larges corolles pourpres et violettes mouchetées de blanc.

— Touchez-en une, dit le paon.

Dominic tendit la patte et il y eut un délicat tintement de clochette.

— Touchez-en une autre.

Dominic obéit. Et cette fois s'éleva en sourdine une ravissante mélodie comme si la brise soufflait dans une flûte.

Dominic toucha d'autres fleurs et la musique s'enrichit d'un accompagnement d'orchestre : cordes, cuivres, vents, percussions

légères. Une envie irrésistible de se joindre
au concert s'empara de lui. Sous la lune d'or,
il se mit à jouer de son piccolo d'or et, com-
muniant dans l'amour de la beauté, les fleurs
et lui atteignirent à des accents sublimes, tandis que le paon, faisant la roue, écoutait de
toutes ses oreilles.

Dominic ne savait pas combien de temps
il avait joué. Et quand la musique s'acheva, il
n'était plus en état de s'arrêter. Il dut s'asseoir
sur son arrière-train et laisser échapper un
long hurlement venu des profondeurs, non
pas un hurlement sauvage traduisant des

émotions longtemps refoulées, mais une sorte de hululement doux et modulé évocateur de son appartenance à un univers ancien mais toujours renouvelé. Le paon attendit respectueusement qu'il eût terminé.

Ayant exprimé ses sentiments, Dominic regarda de nouveau autour de lui. Vers le fond du jardin, il entrevit une construction. On eût dit un palais miniature. Il possédait un dôme minuscule encadré de tourelles minuscules avec des fenêtres arrondies et un portail de même, le tout incrusté d'innombrables pierres précieuses.

— Qu'est-ce que c'est que ça? demanda-t-il.

Il avait l'impression de découvrir toutes ces merveilles l'une après l'autre dans un ordre préétabli.

— Ça? dit le paon. C'est la raison d'être de ce jardin qui l'entoure. C'est la raison d'être de cette fontaine et de ma présence ici. Et c'est aussi la raison de votre présence à vous, si je ne me trompe.

— Puis-je entrer? demanda Dominic.

— Bien sûr, répondit le paon, mais marchez sur la pointe des pieds car il y a ici quelqu'un d'endormi et qui dort depuis très très longtemps.

Dominic s'approcha de la porte, frémissant d'un espoir informulé. Parmi les effluves des fleurs du jardin, il reconnaissait avec netteté cette odeur qu'il avait respirée pour la première fois sur le petit animal en peluche

qu'il avait emporté dans son baluchon. La porte s'ouvrit sans effort et Dominic se trouva dans une pièce où palpitaient les flammes de bougies allumées et où le clair de lune à travers les vitraux de couleur illuminait un lit à baldaquin où reposait la plus belle chienne qu'il eût jamais vue.

Elle était noire et son poil lustré luisait de reflets violets, jaunes, verts, bleus et carmin filtrés par les vitraux. Elle semblait absolument irréelle.

Timidement – d'où venait chez Dominic une timidité aussi inhabituelle ? – il l'effleura de la patte. À l'instant même, elle s'éveilla et fixa sur lui de grands yeux noirs.

— Est-ce toi que j'attendais ? demanda-t-elle.

— Je le crois, oui, répondit Dominic.

— As-tu le jouet en peluche ?

— Je l'ai, dit Dominic.

— Alors c'est bien toi, dit-elle.

Longtemps, ils se regardèrent, l'un et l'autre tout au bonheur de ce qu'ils voyaient. Car leur rencontre était inscrite au Grand Livre de longue date.

La sorcière-alligator l'eût à coup sûr prédite si Dominic l'avait laissée parler.

— Depuis combien de temps suis-je ici ? demanda la beauté réveillée.

— Je ne sais pas, dit Dominic, mais d'après le paon dans le jardin depuis très longtemps.

— Le paon ? Je ne savais pas qu'il y avait un paon. Oui, je crois que j'ai dû rester ici bien des années. Ai-je toujours l'air jeune ?

— Oui, répondit Dominic. Aussi jeune que belle.

— On m'a dit que je ne vieillirais pas tant que je serais endormie, que je resterais la même jusqu'à ce que l'élu du destin arrive enfin pour rompre le charme. Tout comme dans la Belle au Bois Dormant.

— Comment t'appelles-tu? demanda Dominic.

— Evelyn, dit-elle. Ce jouet que tu as trouvé était à moi quand j'étais petite. Je l'aimais de tout mon cœur et il ne me quittait jamais. Un jour, ayant grandi, j'ai décidé que je n'étais plus une enfant et je l'ai jeté. Je me souviens que j'étais dans un champ, songeant à la vie, à moi-même, au monde des adultes. J'étais impatiente de connaître mon avenir et j'avais l'impression que mon jouet m'enchaînait au passé. Alors je m'en suis débarrassée. Mais déjà, comme je m'éloignais de ce champ, j'ai commencé à ressentir des doutes. J'avais été heureuse dans ma petite enfance. Le serais-je encore une fois adulte? Et j'ai erré dans une sorte de transe jusqu'au moment où je me suis trouvée devant une sorcière-alligator.

— J'aurais dû m'en douter! s'écria Dominic. La sorcière-alligator!

Evelyn acquiesça et poursuivit:

– «Qu'est-ce qui ne va pas?» m'a-t-elle demandé, et je le lui ai dit. «Viens avec moi», m'a dit la sorcière, et elle m'a prise par la patte. Je l'ai suivie sans poser de questions, sans même songer à lui en poser et elle m'a amenée ici. «Tu vas t'endormir», m'a-t-elle dit. «Peut-être pour de longues années. Un jour, quelqu'un trouvera ton jouet, et alors il te trouvera à ton tour, tu peux en être certaine. Maintenant, il faut que tu dormes», a-t-elle ajouté, et docilement je me suis endormie. J'étais sous son charme. Je n'avais songé à faire que ce qu'elle me disait de faire. Enfin te voilà, toi, celui qui a trouvé mon chien en peluche. La sorcière avait donc raison.

– La sorcière avait raison, acquiesça Dominic.

– Tu peux me donner mon jouet? dit Evelyn.

Dominic le lui tendit et elle le serra sur son cœur comme un enfant perdu depuis longtemps.

— Nous allons partir tout de suite, reprit-elle. Je ne suis que trop restée ici. Je veux retrouver le monde des vivants.

Dominic comprit qu'il était à l'orée d'une nouvelle et grande aventure.

— Allons-y, dit-il.

Et, côte à côte, ils quittèrent le palais miniature.